#홈스쿨링
#혼자공부하기

똑똑한 하루 글쓰기

Chunjae
Makes
Chunjae

[똑똑한 하루 글쓰기] 4A

기획총괄 박진영
편집개발 전종현, 이재인, 김민숙, 백경민, 박지윤, 김효진
디자인총괄 김희정
표지디자인 윤순미, 김지현
내지디자인 박희춘, 배미현
제작 황성진, 조규영

발행일 2021년 8월 1일 초판 2021년 8월 1일 1쇄
발행인 (주)천재교육
주소 서울시 금천구 가산로9길 54
신고번호 제2001-000018호
고객센터 1577-0902

※ 정답 분실 시에는 천재교육 교재 홈페이지에서 내려받으세요.
※ KC 마크는 이 제품이 공통안전기준에 적합하였음을 의미합니다.
※ 주의
책 모서리에 다칠 수 있으니 주의하시기 바랍니다.
부주의로 인한 사고의 경우 책임지지 않습니다.
8세 미만의 어린이는 부모님의 관리가 필요합니다.

4단계 A 공부할 내용 한눈에 보기!

1주 주장하는 글을 써 보자!

2주 안내문을 써 보자!

똑똑한 하루 글쓰기를 함께 할 친구들을 소개합니다.

바밤별에서 글쓰기를 배우러 온 외계인 친구 밤톨! 엉뚱발랄한 달래와 잘난 척 왕자 기찬을 만나 함께 공부하며 글쓰기 실력이 쑥쑥 자라고 있대요.

공부했으면 빈칸에 체크(v)해 줘!

1일 8~17쪽 ☐	2일 18~23쪽 ☐	3일 24~29쪽 ☐	4일 30~35쪽 ☐
문제 상황과 주장 쓰기	주장에 알맞은 근거 쓰기	글 내용 요약하고 주장 강조하기	주장하는 글 쓰기

매주 1일에는 이번 주에 무엇을 배울지도 함께 살펴보자.

5일 36~41쪽 ☐
토론에서 주장 펼치기

특강 42~49쪽 ☐
창의·융합·코딩 + 누구나 100점 테스트

2주
안내문을 써 보자!

1일 50~59쪽 ☐
행사 안내문 쓰기

한 주 끝! 하루하루 꾸준히 하자!

2일 102~107쪽 ☐	3일 108~113쪽 ☐	4일 114~119쪽 ☐	5일 120~125쪽 ☐
공약 쓰기	공약 실천 계획과 효과 쓰기	끝부분 쓰기	회장 선거 연설문 쓰기

특강 126~133쪽 ☐
창의·융합·코딩 + 누구나 100점 테스트

4주
다양한 주제로 편지를 써 보자!

1일 134~143쪽 ☐
소식을 전하는 편지 쓰기

2일 144~149쪽 ☐
부탁하는 편지 쓰기

똑똑한 하루 글쓰기

4단계 A 스케줄표

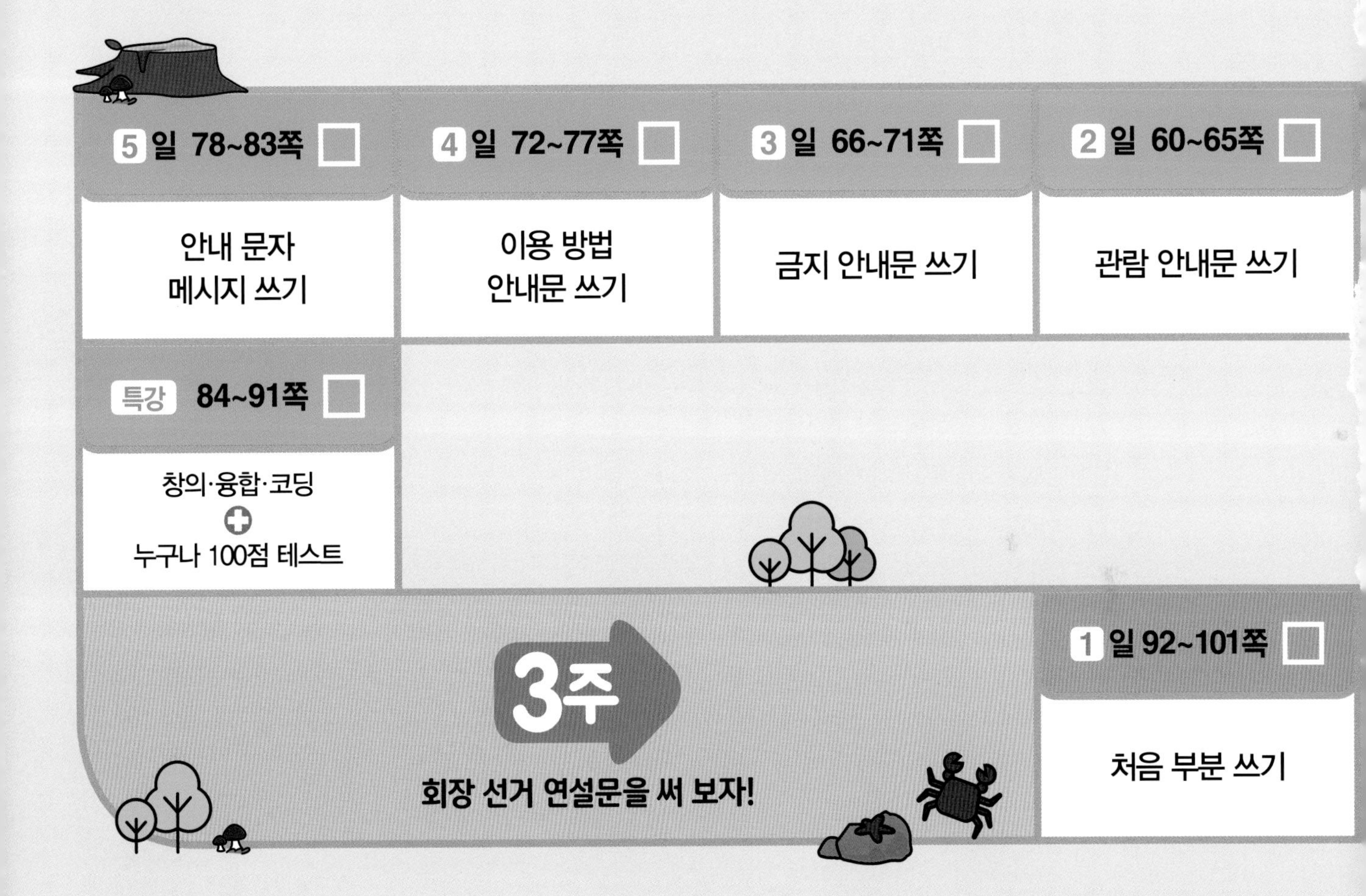

대단해!
꾸준히 공부해서 한 권을 끝냈구나.

특강 168~175쪽	5일 162~167쪽	4일 156~161쪽	3일 150~155쪽
창의·융합·코딩 + 누구나 100점 테스트	소개하는 편지 쓰기	감사함을 전하는 편지 쓰기	축하하는 편지 쓰기

3주 회장 선거 연설문을 써 보자!

4주 다양한 주제로 편지를 써 보자!

글쓰기 공부를 도와주는 글봇과 말하는 판다 판판도 글쓰기 공부를 함께 할 거예요.
글쓰기 채널을 운영하는 똑똑TV 똑똑이와 술술TV 술술이도 기억해 주세요.

글쓰기, 어떻게 시작할까요?

똑똑한 글쓰기 질문 하나!

글쓰기 공부 왜 필요할까요?

자신의 생각을 표현하는 수단이자 모든 학습의 바탕이 되는 활동이 바로 글쓰기예요. 특히 배운 내용을 정리하고, 이해한 것을 글로 풀어내는 글쓰기 능력은 모든 과목 학습 성취에 큰 영향을 끼친답니다.

똑똑한 글쓰기 질문 둘!

계속되는 글쓰기 공부의 실패 원인은 무엇일까요?

글쓰기를 시작하는 순간부터 아이들은 무엇을 써야 할지, 어떻게 표현할지, 어떻게 고쳐야 자연스러울지 등 많은 고민을 하게 되고, 이를 힘들어한답니다. 이렇게 복잡하고 어려운 글쓰기 과정이 익숙해지지 않았을 때 "이것 한번 써 보렴." 하고 과제를 주면 돌아오는 대답은 "엄마, 글쓰기가 싫어요!"일 수밖에 없을 거예요. 그래서 『똑똑한 하루 글쓰기』는 아이들이 차츰 글쓰기에 익숙해지고 재미를 붙여 나갈 수 있도록 만들었답니다.

똑똑한 글쓰기 질문 셋!

글쓰기 공부 어떻게 시작해야 할까요?

쉽고 재미있는 『똑똑한 하루 글쓰기』로 시작해 보세요. 만화와 게임 형식의 문제로 글쓰기 개념을 익히고, 낱말 쓰기부터 한 편 쓰기까지 단계별로 글쓰기를 연습할 수 있어요. 그리고 고쳐쓰기를 통해 문법 실력을 키우고, 내 생각 쓰기로 마무리하며 창의적 글쓰기까지 연습할 수 있답니다. 하루하루 꾸준히 공부해서 한 권을 끝내면 글쓰기 실력과 함께 자신감도 쑥쑥 자랄 거예요.

똑똑한 하루 글쓰기로 똑똑해지자!

똑똑한 하루 글쓰기!

왜 똑똑한 하루 글쓰기일까요?

1 **10분**이면 **하루 글쓰기 끝!** 쉽고 재미있는 글쓰기 공부!

2 교과 학습 과정을 반영한 **갈래별 글쓰기!** 매주 다양한 갈래로 즐거운 학습!

3 **단계별 글쓰기**로 글쓰기 실력 향상! 낱말 쓰기부터 한 편 쓰기까지!

4 **고쳐쓰기**로 기초 실력 다지기! 어휘력과 문법 실력도 쑥쑥!

5 **창의・융합・코딩**으로 사고력 넓히기! 생활 어휘부터 코딩 학습까지!

구성과 활용 방법

한 주 동안 공부할 내용을 만화로 미리 살펴보고, 한 주의 글쓰기 개념을 만화와 문제로 확인합니다.

똑똑한

하루 글쓰기 코스

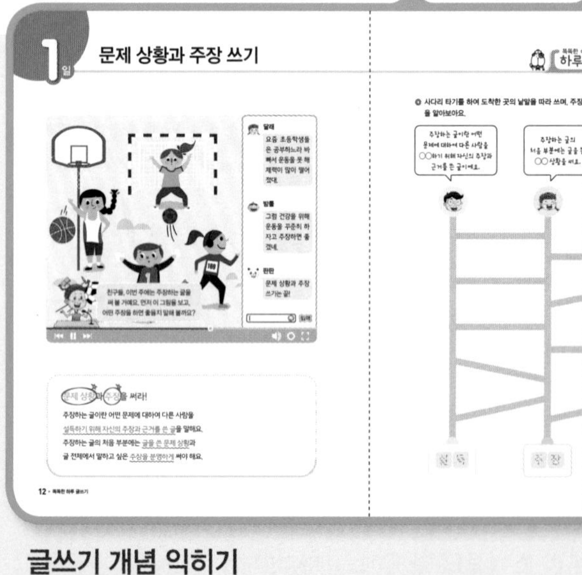

글쓰기 개념 익히기

캐릭터들의 재미있는 대화와 게임 형식의 확인 문제로 핵심 글쓰기 개념을 익힙니다.

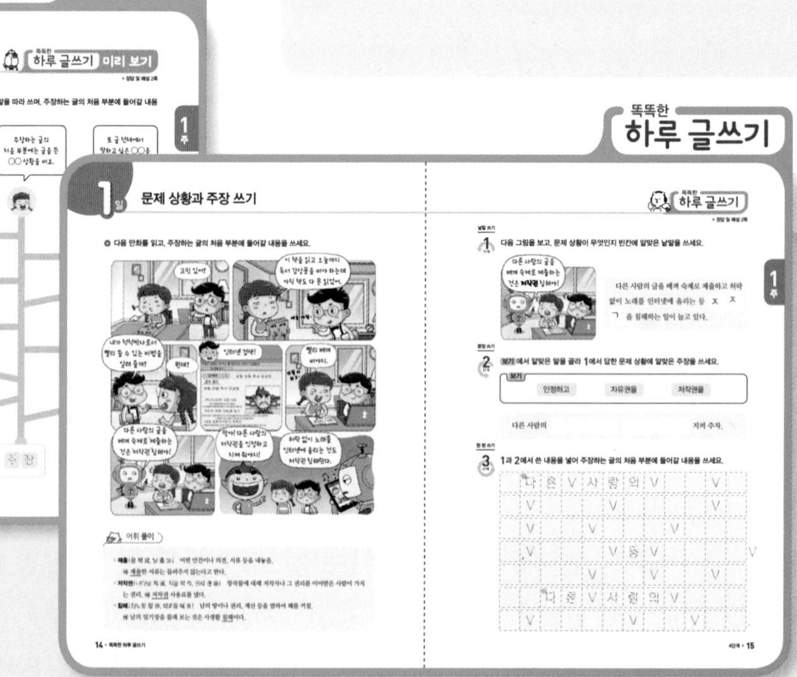

단계별 글쓰기

다양한 글쓰기 상황을 살펴보고, '낱말 쓰기 → 문장 쓰기 → 한 편 쓰기'를 단계별로 학습하며 쉽고 재미있게 글쓰기를 연습합니다.

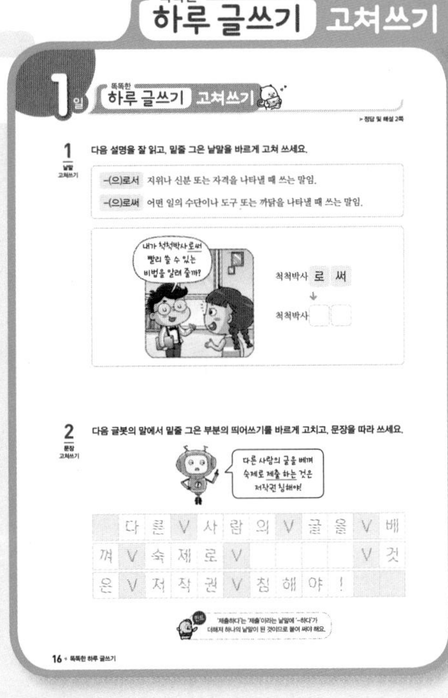

고쳐쓰기

'낱말 고쳐쓰기 → 문장 고쳐쓰기'를 통해 글쓰기의 기본인 어휘력을 높이고 문법과 맞춤법 실력을 다집니다.

내 생각 쓰기로 마무리

하루 학습 목표에 맞게 제시된 주제에 대한 내 생각 쓰기로 하루의 글쓰기 학습을 마무리합니다.

생활 어휘

생활 속에서 자주 쓰는 속담과 관용어의 뜻과 쓰임을 만화로 익힙니다.

창의·융합·코딩 미션

게임 형식의 창의·융합·코딩 미션을 해결하며 재미있게 한 주의 중요 어휘를 확인하고 다양한 배경지식을 넓힙니다.

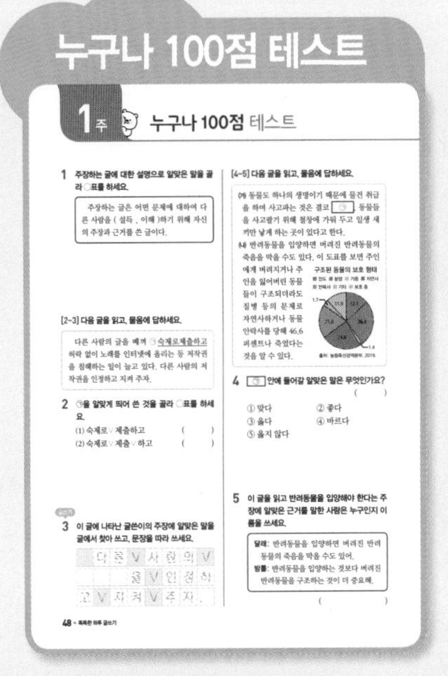

누구나 100점 테스트

한 주 동안 공부한 내용을 평가하며 갈래별 글쓰기 실력을 확인합니다.

친구들과 약속해요!

우리 같이 약속해요!

첫째, 하루하루 빠짐없이 꾸준히 공부하기!

둘째, 하루 글쓰기 문제 끝까지 다 풀기!

셋째, 또박또박 바르게 글씨 쓰기!

약속하는 사람 ____________

쉽고 재미있는
『똑똑한 하루 글쓰기』로
첫 글쓰기 공부를 시작해 봐요.

똑 똑 한

하루 글쓰기

1주 1주에는 무엇을 공부할까? ❶

1
주

주장하는 글을 써 보자!

1일 문제 상황과 주장 쓰기
2일 주장에 알맞은 근거 쓰기
3일 글 내용 요약하고 주장 강조하기
4일 주장하는 글 쓰기
5일 토론에서 주장 펼치기

1주 1주에는 무엇을 공부할까? ❷

1-1 다음은 무엇에 대한 설명인지 알맞은 것을 골라 ○표를 하세요.

어떤 문제에 대하여 다른 사람을 설득하기 위해 자신의 주장과 근거를 쓴 글이다.

(1) 편지 ( )
(2) 설명하는 글 ( )
(3) 주장하는 글 ( )

1-2 다음 글에 대해 알맞게 말한 사람의 이름을 쓰세요.

다른 사람의 글을 베껴 숙제로 제출하고 허락 없이 노래를 인터넷에 올리는 등 저작권을 침해하는 일이 늘고 있다. 다른 사람의 저작권을 인정하고 지켜 주자.

현솔: 저작권이 무엇인지 설명하는 글의 처음 부분이야.
채민: 다른 사람의 저작권을 인정하고 지켜 주자고 주장하는 글의 처음 부분이야.

( )

1
주

▶정답 및 해설 2쪽

2-1 **주장하는 글의 가운데 부분에 쓸 내용으로 알맞은 것을 골라 ○표를 하세요.**

(1) 문제 상황 (　　　)

(2) 주장을 뒷받침하는 근거 (　　　)

(3) 글 내용을 요약하고 주장을 다시 한번 강조하는 말 (　　　)

2-2 **다음은 '우리말을 바르게 사용하자.'라고 주장하는 글의 일부분이에요. 주장하는 글의 어떤 내용에 해당하는지 알맞은 것을 골라 따라 쓰세요.**

우리말을 바르게 사용하지 않으면 뜻이 통하지 않을 수 있다. 예를 들어, '삼김(삼각김밥)'과 같은 줄임 말이나 '노잼(재미없다)'과 같은 신조어를 사용할 경우 원래의 뜻을 알지 못하는 사람은 말의 뜻을 이해하지 못할 수 있다.

근 거　　글 내 용 요 약

1일 문제 상황과 주장 쓰기

문제 상황과 주장을 써라!

주장하는 글이란 어떤 문제에 대하여 다른 사람을 설득하기 위해 자신의 주장과 근거를 쓴 글을 말해요.
주장하는 글의 처음 부분에는 글을 쓴 문제 상황과 글 전체에서 말하고 싶은 주장을 분명하게 써야 해요.

▶ 정답 및 해설 2쪽

1 주

● 사다리 타기를 하여 도착한 곳의 낱말을 따라 쓰며, 주장하는 글의 처음 부분에 들어갈 내용을 알아보아요.

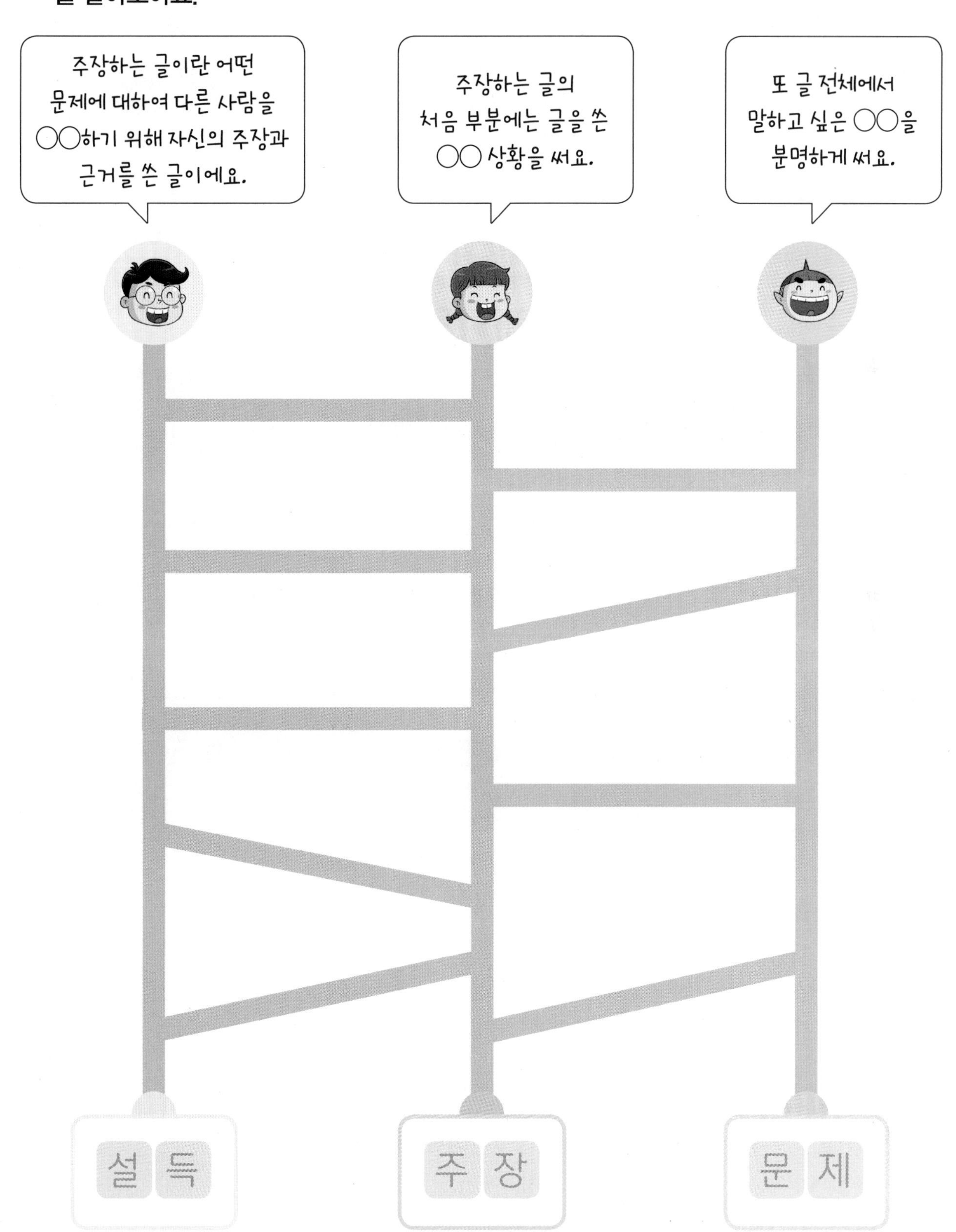

1일 문제 상황과 주장 쓰기

● 다음 만화를 읽고, 주장하는 글의 처음 부분에 들어갈 내용을 쓰세요.

어휘 풀이

▼ **제출**|끌 제 提, 날 출 出| 어떤 안건이나 의견, 서류 등을 내놓음.
예 제출한 서류는 돌려주지 않는다고 한다.

▼ **저작권**|나타날 저 著, 지을 작 作, 권세 권 權| 창작물에 대해 저작자나 그 권리를 이어받은 사람이 가지는 권리. 예 저작권 사용료를 냈다.

▼ **침해**|침노할 침 侵, 해로울 해 害| 남의 땅이나 권리, 재산 등을 범하여 해를 끼침.
예 남의 일기장을 몰래 보는 것은 사생활 침해이다.

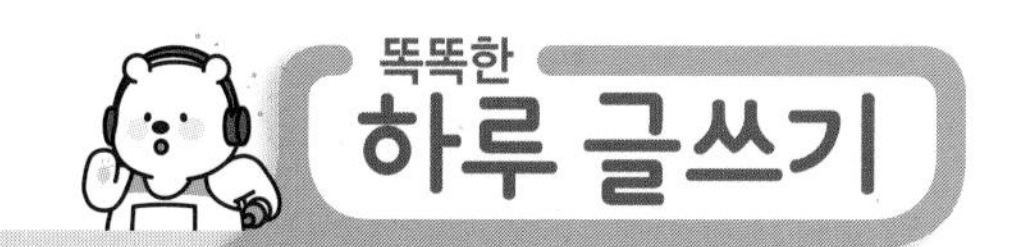

▶ 정답 및 해설 2쪽

낱말 쓰기

다음 그림을 보고, 문제 상황이 무엇인지 빈칸에 알맞은 낱말을 쓰세요.

다른 사람의 글을 베껴 숙제로 제출하고 허락 없이 노래를 인터넷에 올리는 등 ㅈ ㅈ ㄱ 을 침해하는 일이 늘고 있다.

문장 쓰기

보기 에서 알맞은 말을 골라 1 에서 답한 문제 상황에 알맞은 주장을 쓰세요.

보기

인정하고 자유권을 저작권을

다른 사람의 ________ 지켜 주자.

한 편 쓰기

1 과 2 에서 쓴 내용을 넣어 주장하는 글의 처음 부분에 들어갈 내용을 쓰세요.

	❶다	른	V	사	람	의	V			V	
	V				V					V	
	V			V				V			
	V				V	등	V				V
				V			V			V	
		❷다	른	V	사	람	의	V			
	V					V			V		

▶정답 및 해설 2쪽

1 낱말 고쳐쓰기

다음 설명을 잘 읽고, 밑줄 그은 낱말을 바르게 고쳐 쓰세요.

–(으)로서	지위나 신분 또는 자격을 나타낼 때 쓰는 말임.
–(으)로써	어떤 일의 수단이나 도구 또는 까닭을 나타낼 때 쓰는 말임.

2 문장 고쳐쓰기

다음 글봇의 말에서 밑줄 그은 부분의 띄어쓰기를 바르게 고치고, 문장을 따라 쓰세요.

	다	른	V	사	람	의	V	글	을	V	베
껴	V	숙	제	로	V					V	것
은	V	저	작	권	V	침	해	야	!		

'제출하다'는 '제출'이라는 낱말에 '–하다'가 더해져 하나의 낱말이 된 것이므로 붙여 써야 해요.

똑똑한 **하루 글쓰기 마무리** 내 생각 쓰기로 하루 마무리

▶정답 및 해설 2쪽

◉ 다음 만화를 읽고, 주장하는 글의 처음 부분에 들어갈 내용을 완성하세요.

	❶			V				로	V	인	해 V
여	러	V	가	지	V	문	제	가	V	발	생
하	고	V	있	다	.	이	와	V	같	은	V
문	제	를	V	해	결	하	기	V	위	해	서 V
❷			V				V			.	

만화를 잘 읽고, ❶에는 문제 상황에 알맞은 말을, ❷에는 어떤 주장을 하면 좋을지 빈칸에 각각 써 보세요.

2일 주장에 알맞은 근거 쓰기

주장에 알맞은 근거를 써라!

주장하는 글의 가운데 부분에는 주장과 관련 있고 주장을 뒷받침하는 근거를 써야 해요. 근거를 쓸 때 문제 상황을 해결하는 방법을 제시하거나 근거를 뒷받침하는 예나 근거와 관련 있는 도표나 통계 자료 등을 조사하여 제시하면 좋답니다.

▶정답 및 해설 3쪽

● 그림에 맞는 퍼즐 모양을 찾아 선으로 잇고, 주장에 알맞은 근거를 쓰는 방법을 알아보아요.

도표

주장에 알맞은 근거를 쓰는 방법을 생각하며 문장을 따라 쓰세요.

	왜	V	반	려	동	물	을	V	사	지	V
말	고	V	입	양	해	야	V	할	까	?	

주장에 알맞은 근거 쓰기

● 다음 대화를 읽고, 주장에 알맞은 근거를 쓰세요.

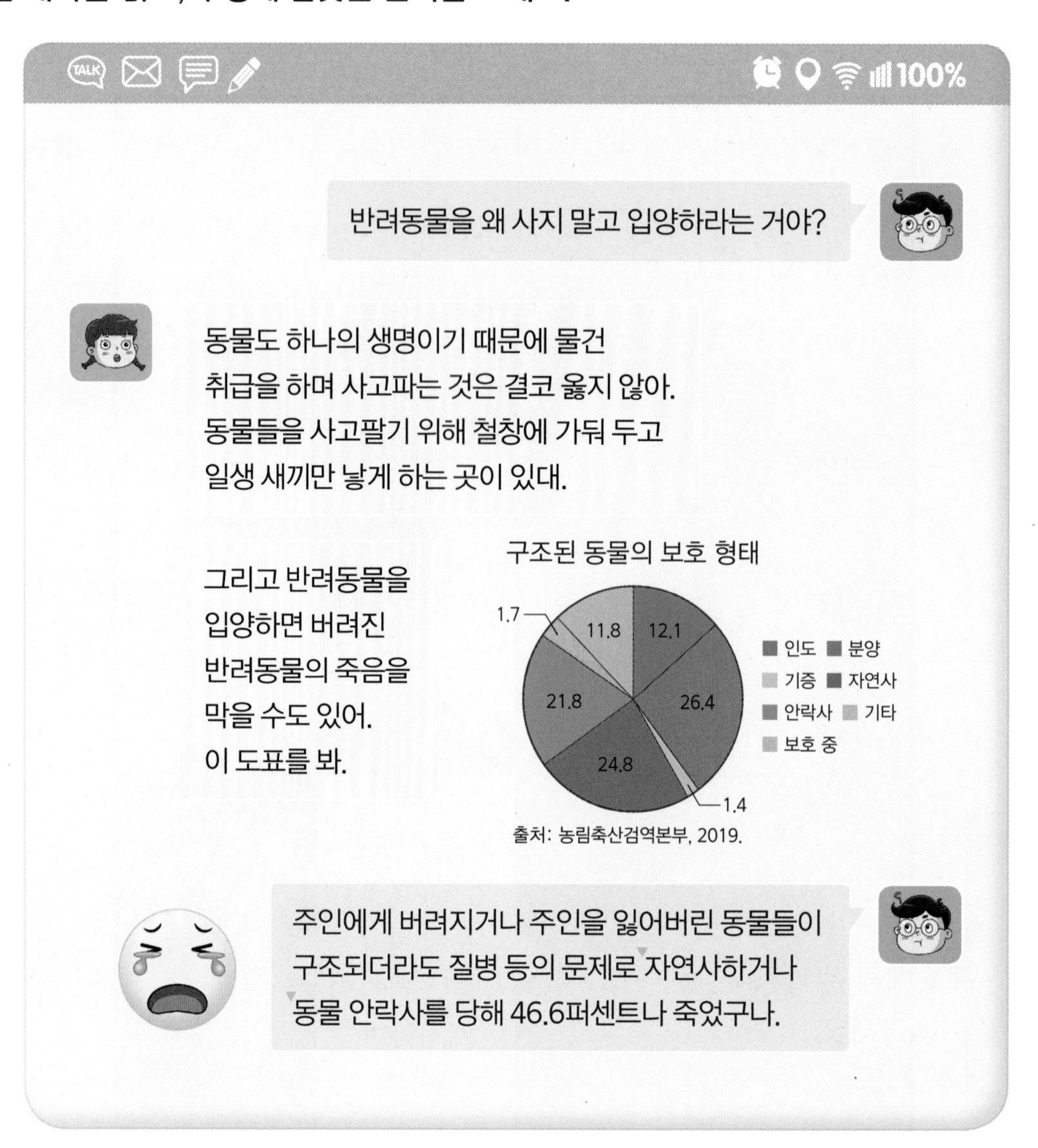

어휘 풀이

▼ **자연사** | 스스로 **자** 自, 그럴 **연** 然, 죽을 **사** 死 | 늙고 힘이 약해져 자연히 죽음.

예 그의 죽음은 자연사로 밝혀졌다.

▼ **동물 안락사** | 움직일 **동** 動, 만물 **물** 物, 편안할 **안** 安, 즐길 **락** 樂, 죽을 **사** 死 | 고칠 수 없는 큰 병에 걸려 고통스러운 상황이나 동물을 지속적으로 도와줄 자원이 부족할 때 동물을 죽음에 이르게 하거나 극단적인 의료 치료를 없애면서 동물들이 죽게 만드는 행위를 말함.

▶정답 및 해설 3쪽

낱말 쓰기

1단계 다음 사진을 보고, 반려동물을 사지 말라고 하는 까닭으로 알맞은 말을 빈칸에 쓰세요.

동물도 하나의 ㅅ ㅁ 이기 때문에 물건 취급을 하며 사고파는 것은 결코 옳지 않다.

문장 쓰기

2단계 보기 에서 알맞은 말을 골라 반려동물을 입양하면 좋은 까닭을 한 문장으로 쓰세요.

보기

죽음을　　버려진　　멸종 동물의　　반려동물의

반려동물을 입양하면 ________

____ 막을 수도 있다.

한 편 쓰기

3단계 1과 2에서 쓴 내용을 넣어 '반려동물을 사지 말고 입양하자.'라는 주장에 알맞은 근거를 완성하세요.

동물도 하나의 ❶ ________________________________

____

동물들을 사고팔기 위해 철창에 가둬 두고 일생 새끼만 낳게 하는 곳이 있다고 한다. 동물을 하나의 생명으로 존중하지 않으면 인간에 대한 존중도 어려워진다.

또 반려동물을 입양하면 ❷ ________________________________

____

이 도표를 보면 주인에게 버려지거나 주인을 잃어버린 동물들이 구조되더라도 질병 등의 문제로 자연사하거나 동물 안락사를 당해 46.6퍼센트나 죽었다는 것을 알 수 있다.

▶ 정답 및 해설 3쪽

1 낱말 고쳐쓰기

다음 문장의 밑줄 그은 낱말 대신 바꿔 쓰기에 알맞은 낱말을 보기 에서 골라 쓰세요.

보기

유기되거나 내다 버려지거나.

유실되거나 가지고 있던 돈이나 물건 따위가 부주의로 인해 없어지거나.

주인에게 버려지거나 주인을 잃어버린 동물들이 구조되더라도 질병 등의 문제로 자연사하거나 동물 안락사를 당해 46.6퍼센트나 죽었구나.

버려지거나 → □□□□□

2 문장 고쳐쓰기

다음 친구가 고쳐 쓴 문장 과 같이 밑줄 그은 부분을 '결코'와 어울리는 말로 고치고, 문장을 따라 쓰세요.

친구가 고쳐 쓴 문장

동물도 하나의 생명이기 때문에 물건 취급을 하며 사고파는 것은 결코 옳아.

↓

동물도 하나의 생명이기 때문에 물건 취급을 하며 사고파는 것은 결코 옳지 않아.

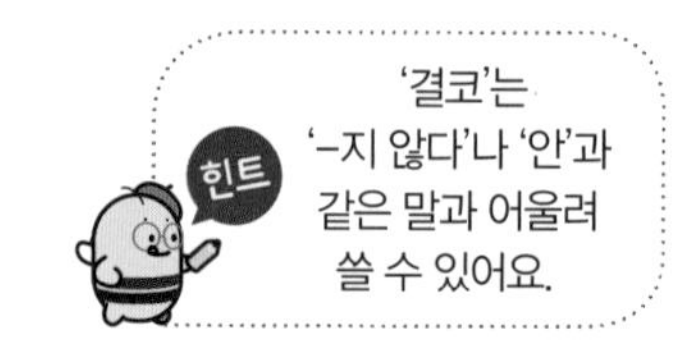

	이	V	문	제	는	V	결	코	V	어	려
워	.										

↓

	이	V	문	제	는	V	결	코	V		
	V		아	.							

똑똑한
하루 글쓰기 마무리
내 생각 쓰기로 하루 마무리

▶정답 및 해설 3쪽

다음 대화를 읽고, 빈칸에 알맞은 내용을 써넣어 '우리말을 바르게 사용하자.'라는 주장에 알맞은 근거를 완성하세요.

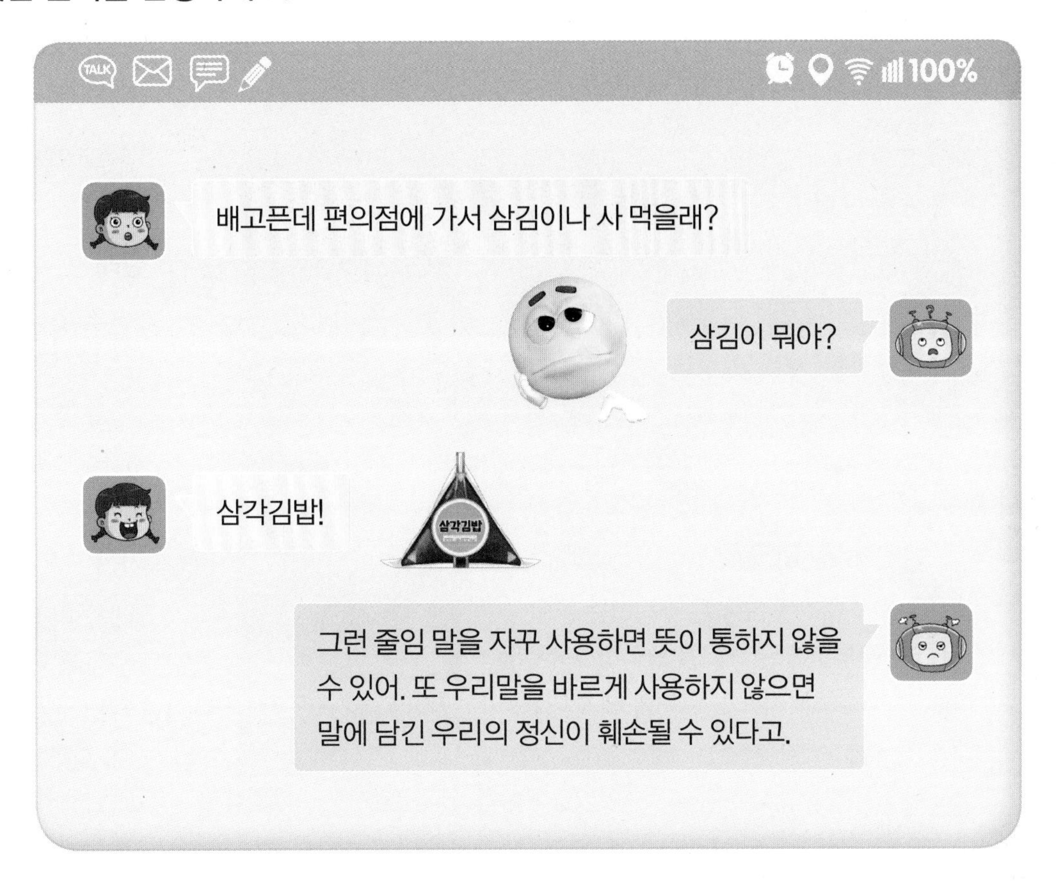

우리말을 바르게 사용하지 않으면 ❶ ______________________________ 있다. 예를 들어, '삼김(삼각김밥)'과 같은 줄임 말이나 '노잼(재미없다)'과 같은 신조어를 사용할 경우 원래의 뜻을 알지 못하는 사람은 말의 뜻을 이해하지 못할 수 있다.

또 우리말을 바르게 사용하지 않으면 ❷ ______________________________ 있다. 말에는 그 말을 쓰는 사람의 정신이 깃들어 있다. 우리말을 바르게 사용하려는 마음을 갖고 노력해야만 우리말에 담긴 우리의 정신 역시 바르게 지킬 수 있는 것이다.

글봇이 말한, 우리말을 바르게 사용해야 하는 까닭을 정리하여 주장하는 글의 가운데 부분에 들어갈 근거를 완성해 보세요.

3일 글 내용 요약하고 주장 강조하기

글 내용을 요약하고 주장을 강조해서 써라!

주장하는 글의 끝부분에는 가운데 부분의 글 내용을 요약해서 쓰거나 이 글을 쓴 목적을 생각하며 주장을 다시 한번 강조해서 써요. 주장을 실천했을 때 나타날 수 있는 긍정적인 모습을 써도 좋아요.

똑똑한 하루 글쓰기 미리 보기

▶정답 및 해설 4쪽

● 주장하는 글의 끝부분을 쓰는 방법에 맞게 빈칸에 알맞은 말을 쓰고, 퍼즐판에서 찾아 ○표를 하세요.

주장을 실천했을 때 나타날 수 있는
❸ 적인 모습을 써도 좋아요.

글 내용 요약하고 주장 강조하기

◉ 다음은 주장하는 글의 처음과 가운데 부분이에요. 잘 읽고, 끝부분에 들어갈 내용을 쓰세요.

쓰레기를 정해진 곳에 제대로 버리자

일반 쓰레기는 쓰레기 ▼종량제 봉투에 넣어 정해진 곳에 버려야 한다. 그런데 요즘 우리 동네에 쓰레기를 종량제 봉투에 넣지 않고 버리거나 아무 데에나 버리는 사람들이 늘고 있다. 더 좋은 우리 동네를 만들기 위해서 쓰레기를 정해진 곳에 제대로 버리자.

우리 학교 4학년 학생 100명에게 설문 조사를 한 결과, 95명이 지저분하게 버려진 쓰레기를 보면 기분이 나쁘다고 응답했다. 이처럼 쓰레기를 정해진 곳에 제대로 버리지 않으면 지저분하고 쓰레기에서 나쁜 냄새가 나기 때문에 그것을 보는 사람들의 기분이 나빠진다.

또한 ○○월 ○○일 △△일보를 보면 ▼분리배출을 하지 않고 마구 버려진 쓰레기가 제대로 처리되지 않으면 토양 오염을 일으키고, ▼하수도로 흘러들어 수질 오염의 원인이 된다고 한다. 쓰레기를 정해진 곳에 제대로 버리지 않으면 쓰레기가 제대로 처리되지 않아 환경이 오염될 수 있다.

어휘 풀이

▼**종량제** | 좇을 **종** 從, 헤아릴 **량** 量, 억제할 **제** 制 | 물품의 무게나 길이, 양에 따라 세금 또는 이용 요금을 매기는 제도. ㉮ 우리나라에서는 쓰레기 종량제를 실시하고 있다.

▼**분리배출** | 나눌 **분** 分, 떠날 **리** 離, 물리칠 **배** 排, 날 **출** 出 | 쓰레기 따위를 종류별로 나누어서 버림. ㉮ 음식물 쓰레기도 분리배출을 해야 한다.

▼**하수도** | 아래 **하** 下, 물 **수** 水, 길 **도** 道 | 빗물이나 집, 공장 등에서 쓰고 버리는 더러운 물이 흘러가도록 만든 시설. ㉮ 하수도가 막혀 화장실의 물이 내려가지 않았다.

▶ 정답 및 해설 4쪽

낱말 쓰기

다음은 주장하는 글의 끝부분에 들어갈 내용으로, 가운데 부분의 글 내용을 요약한 것이에요. 다음 대화를 읽고, 빈칸에 알맞은 말을 각각 쓰세요.

아무렇게나 버려진 쓰레기는 우리의 ㄱ ㅂ 과 ㅎ ㄱ 을 해친다.

문장 쓰기

보기 의 말을 이용하여 주장을 강조하는 문장을 쓰세요.

보기

곳에 / 버리는 / 정해진 / 제대로

쓰레기를 ____________

작은 실천을 통해 우리의 기분과 환경을 지키자.

한 편 쓰기

1과 **2**에서 쓴 내용을 넣어 주장하는 글 「쓰레기를 정해진 곳에 제대로 버리자」의 끝부분에 들어갈 내용을 완성하세요.

이처럼 아무렇게나 버려진 쓰레기는 ❶ ____________

____

쓰레기를 ❷ ____________

____

1주

3일 똑똑한 하루 글쓰기 고쳐쓰기

▶ 정답 및 해설 4쪽

1 낱말 고쳐쓰기

다음 문장의 밑줄 그은 낱말 대신 바꿔 쓰기에 알맞은 낱말을 보기 에서 골라 쓰세요.

쓰레기를 종량제 봉투에 넣지 않고 버리거나 아무 데에나 버리는 사람들이 늘고 있다.

→ 쓰레기를 종량제 봉투에 넣지 않고 버리거나 아무 (　　　)에나 버리는 사람들이 늘고 있다.

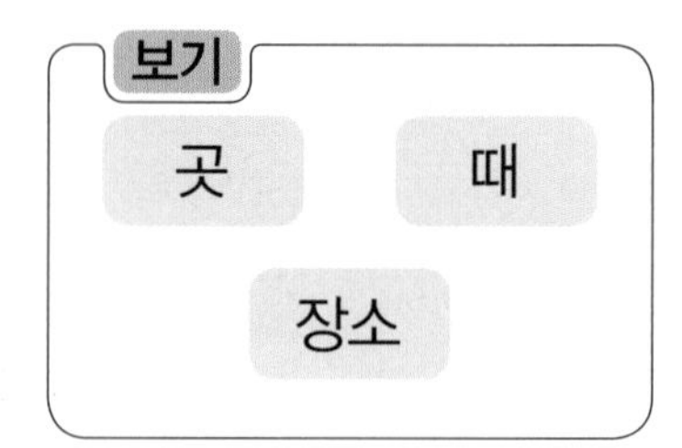

2 문장 고쳐쓰기

주장하는 글에 들어갈 주장을 쓰려고 해요. 다음 친구가 고쳐 쓴 문장 과 같이 밑줄 그은 부분을 고치고, 문장을 따라 쓰세요.

친구가 고쳐 쓴 문장

더 좋은 우리 동네를 만들기 위해서 쓰레기를 정해진 곳에 제대로 버려라.

→ 더 좋은 우리 동네를 만들기 위해서 쓰레기를 정해진 곳에 제대로 버리자.

힌트: 주장하는 글에 주장을 쓸 때에는 '버려라'나 '부르지 마라'와 같이 명령을 하는 듯한 시키는 문장보다는 '버리자'나 '부르지 말자'와 같이 함께 하기를 요청하는 권유하는 문장으로 쓰는 것이 좋아요.

	친	구	가	V	듣	기	V	싫	어	하	는	V
별	명	을	V	부	르	지	V	마	라	.		

↓

	친	구	가	V	듣	기	V	싫	어	하	는	V
별	명	을	V	부	르	지	V			.		

똑똑한 하루 글쓰기 마무리

내 생각 쓰기로 하루 마무리

▶정답 및 해설 4쪽

● 다음 주장하는 글의 끝부분에 알맞은 내용을 보기 에서 한 가지 골라 쓰세요.

올바른 누리 소통망 사용

누리 소통망을 사용하면 많은 정보를 쉽게 접할 수 있고 전달할 수도 있다는 장점이 있다. 하지만 여러 가지 단점도 있어서 누리 소통망을 올바르게 사용해야 한다.

첫째, 누리 소통망에 중독되어 시간을 낭비하지 않도록 해야 한다. 우리 학교 4~6학년 학생 100명을 대상으로 설문 조사를 한 결과, 65명이 하루에 1시간 이상 누리 소통망을 이용한다고 답했다. 이처럼 누리 소통망에 많은 시간을 낭비하게 되면 공부나 운동 등을 할 시간이 부족해질 것이다.

둘째, 잘못된 정보가 쉽게 퍼질 수 있으므로 누리 소통망을 통해 정보를 접하거나 전달할 때 사실인지 아닌지 꼭 따져 보아야 한다. 잘못된 정보로 오해가 생겨 사람들에게 해를 끼칠 수 있다. 잘못된 정보가 퍼져 나가 음식점이 문을 닫거나 일상생활이 힘들어진 사람들을 취재한 △△△ 방송국의 뉴스 보도도 있었다.

누리 소통망을 사용할 때 발생할 수 있는 문제점에 주의하여 누리 소통망을 올바르게 사용하자.

조금만 주의하고 노력하면

보기

- 조금만 주의하고 노력하면 건강한 디지털 문화를 만들 수 있다.
- 조금만 주의하고 노력하면 시간과 공간의 제약 없이 유익한 정보를 누릴 수 있다.

이 주장하는 글의 끝부분에는 누리 소통망을 올바르게 사용했을 때 나타날 수 있는 긍정적인 모습을 덧붙일 수 있어요. 두 가지 내용 중 어떤 내용을 써넣어도 답이 될 수 있답니다.

4일 주장하는 글 쓰기

타당한 근거를 들어 주장하는 글을 써라!

주장하는 글을 쓸 때에는 먼저 주장을 펼치고 싶은 문제 상황을 떠올리고, 그와 같은 문제 상황을 해결할 수 있는 주장을 정해요. 그런 다음, 주장을 뒷받침할 타당한 근거를 들어 주장하는 글을 쓰면 돼요.

▶정답 및 해설 5쪽

◉ 사다리 타기를 하여 도착한 곳의 낱말을 따라 쓰며, 주장하는 글을 쓰는 방법을 알아보아요.

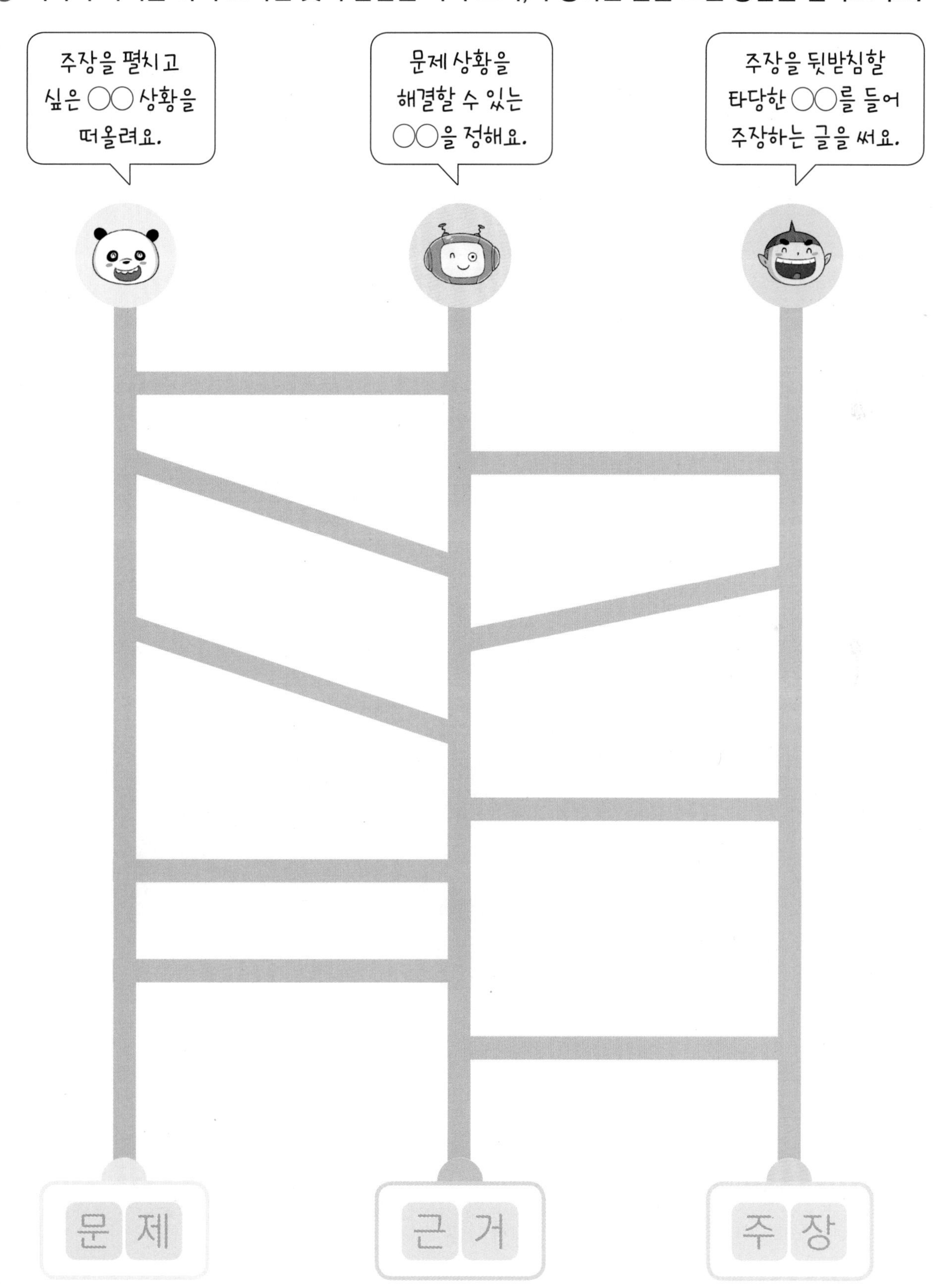

주장하는 글 쓰기

● 다음 내용을 바탕으로 주장하는 글을 쓰세요.

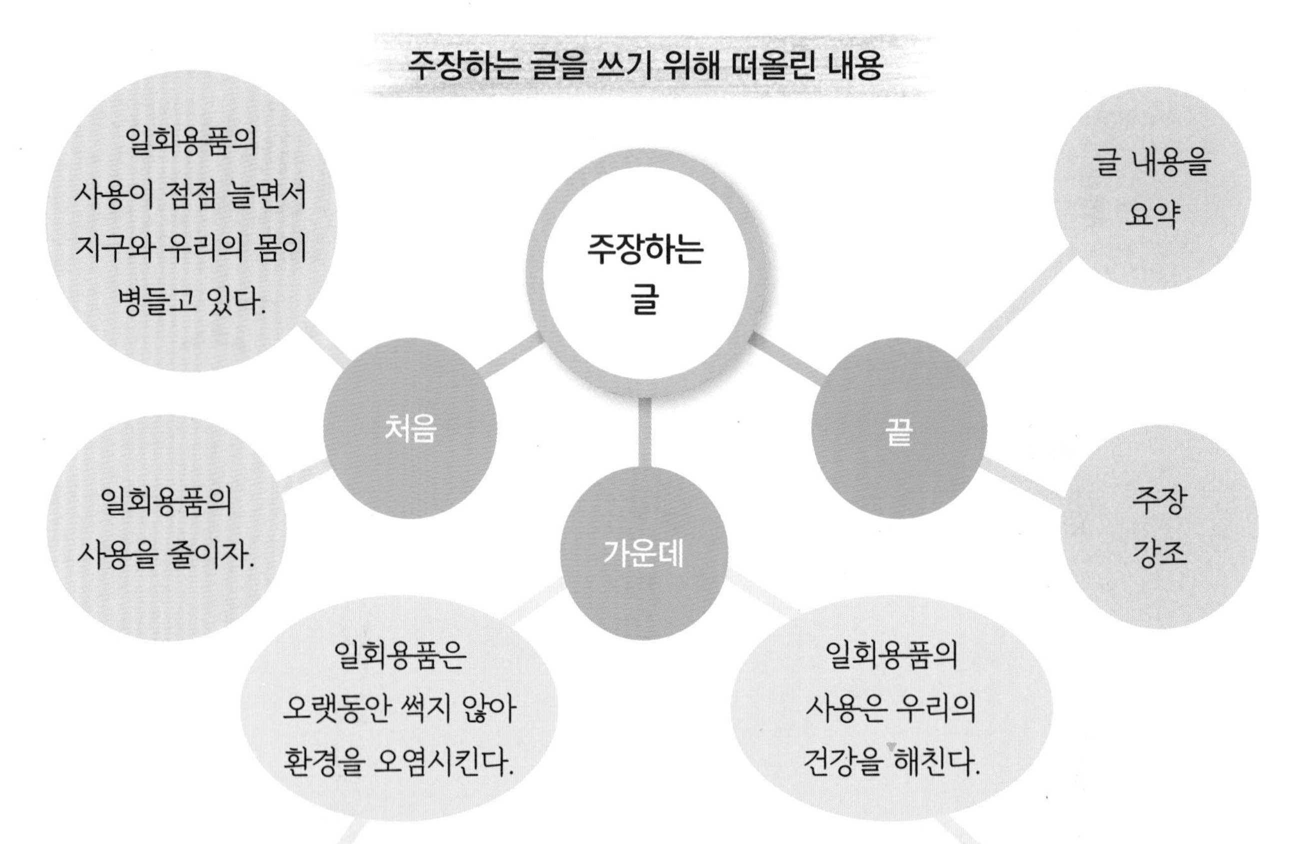

일회용품	땅속에서 썩는 데 걸리는 시간
종이컵	20년 이상
플라스틱 용기	50~80년
비닐봉지	500년 이상

어휘 풀이

▼**해**| 해로울 해 害 |**친다** 사람의 마음이나 몸에 해를 입힌다. ㉮ 담배와 술은 몸을 해친다.

▼**환경**| 고리 환 環, 지경 경 境 | **호르몬** 화학 물질 중, 생물체 내에 흡수되어 호르몬처럼 작용하여 피해를 주는 물질. 비닐, 플라스틱, 스티로폼 등에서 나옴.

▶정답 및 해설 5쪽

낱말 쓰기

다음은 주장하는 글의 처음 부분에 들어갈 문제 상황과 주장이에요. 사진을 잘 보고, 빈칸에 알맞은 말을 쓰세요.

▲ 여러 가지 **일회용품**

일회용품의 사용이 점점 늘면서 지구와 우리의 몸이 병들고 있다. ㅇ ㅎ ㅇ ㅍ 의 사용을 줄이자.

문장 쓰기

보기 에서 알맞은 내용을 골라 1 에서 답한 주장을 뒷받침하는 근거를 각각 쓰세요.

보기

건강을 환경을 해친다 오염시킨다

❶ 일회용품은 오랫동안 썩지 않아 ____. 버려진 일회용품이 땅속에서 썩는 데 종이컵은 20년 이상, 플라스틱 용기는 50~80년, 비닐봉지는 500년 이상 걸린다고 한다.

❷ 일회용품의 사용은 우리의 ____. 일회용품을 만드는 비닐이나 플라스틱 등에서 환경 호르몬이 나오는데 일회용품을 사용하면 이러한 물질이 우리 몸속으로 들어가 암, 아토피, 알레르기 등이 생길 수 있다.

한 편 쓰기

1과 2에서 쓴 내용을 바탕으로 주장하는 글의 끝부분에 들어갈 내용을 쓰세요.

▶정답 및 해설 5쪽

1 낱말 고쳐쓰기

다음 문장에서 밑줄 그은 낱말을 바르게 고쳐 쓰세요.

일회용품	땅속에서 썩는 데 걸리는 시간
종이컵	20년 이상
플라스틱 용기	50~80년
비닐봉지	500년 이상

일회용품은 오래동안 썩지 않아 환경을 오염시킨다.

오래동안

↓

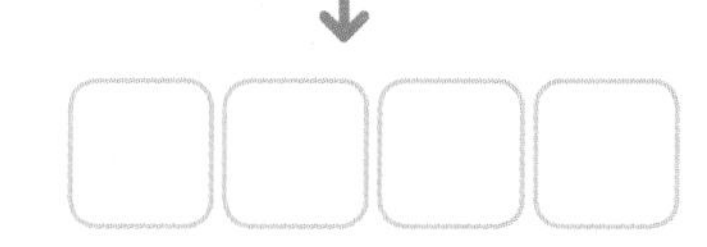

2 문장 고쳐쓰기

다음 친구가 고쳐 쓴 문장 과 같이 밑줄 그은 부분의 띄어쓰기를 바르게 고치고, 문장을 따라 쓰세요.

친구가 고쳐 쓴 문장

버려진 일회용품이 땅속에서 썩는데 종이컵은 20년 이상 걸린다고 한다.

↓

버려진 일회용품이 땅속에서 썩는 데 종이컵은 20년 이상 걸린다고 한다.

힌트 '일'이나 '것'의 뜻을 나타내는 말인 '데'는 혼자서는 쓸 수 없는 낱말이에요. 앞에 오는 다른 낱말과 함께 써야 하고, 쓸 때에는 띄어 써야 해요.

	내	V	방	을	V	청	소	하	는	데	V
1	시	간	이	V	걸	렸	다	.			

↓

	내	V	방	을	V				V		V
1	시	간	이	V	걸	렸	다	.			

내 생각 쓰기로 하루 마무리

▶ 정답 및 해설 5쪽

● 다음 보기 에서 빈칸에 알맞은 내용을 각각 골라 써넣어 주장하는 글을 완성하세요.

보기

- 학교에서 이동할 때 뛰지 않아야 한다.
- 초등학교에서 일어나는 안전사고가 매년 증가하고 있다.
- 학교에서 일어나는 안전사고를 예방하는 방법을 잘 알고 실천하는 노력이 필요하다.

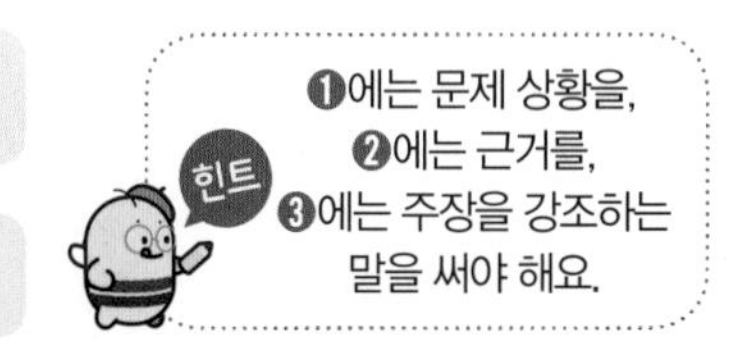

학교에서 일어나는 안전사고를 예방하자

교육부의 2019년 통계에 따르면 ❶ ______________________________

____

학교에서 건강하게 공부하려면 학교에서의 안전사고를 예방해야 한다. 학교에서 일어나는 안전사고를 예방할 수 있는 방법에는 어떤 것들이 있을까?

첫째, ❷ ______________________________

____

통계 자료를 보면 다른 물체나 사람에 부딪쳐 다치거나 미끄러지거나 넘어져 다치는 사고가 많은 것을 알 수 있다. 교실, 복도, 운동장 등에서 이동할 때 뛰지 않으면 이와 같은 사고의 위험을 많이 줄일 수 있다.

둘째, 점심시간, 체육 시간, 과학 시간에 친구와 장난을 치지 않아야 한다. 급식을 받을 때에 친구와 장난을 치면 뜨거운 음식에 데거나 식판 모서리에 부딪쳐 다칠 수 있다. 체육 시간에 친구에게 공을 던지거나 모래를 뿌리는 등 장난을 치면 공에 맞아 다치거나 눈에 모래가 들어가 다칠 수 있다. 과학 시간에 실험을 할 때에도 친구와 장난을 치면 실험 기구가 깨져 다치거나 알코올램프 등에 델 수 있다.

학교는 많은 학생들이 모여 공부하는 장소로 여러 가지 안전사고의 위험이 있다. 안전한 학교생활을 위해 ❸ ______________________________

____

5일 토론에서 주장 펼치기

토론에 참여하여 자신의 주장을 펼쳐 보아라!

토론은 어떤 문제를 놓고 찬성과 반대로 나뉘어 상대방을 설득하는 말하기예요. 토론에서 자신의 주장을 펼칠 때에는 타당한 근거를 들어야 해요.

▶정답 및 해설 6쪽

1주

◉ 토론에서 주장을 펼치는 말을 하는 방법에 맞게 빈칸에 알맞은 말을 따라 쓰세요.

토론은 어떤 문제를 놓고 찬성과 반대로 나뉘어 상대방을 설득하는 말하기예요. 토론에서 자신의 주장을 펼칠 때에는 타당한 근거를 들어야 해요.

◉ 위에서 따라 쓴 말을 모두 찾아 색칠해 보고, 어떤 모양이 나오는지 알아보아요.

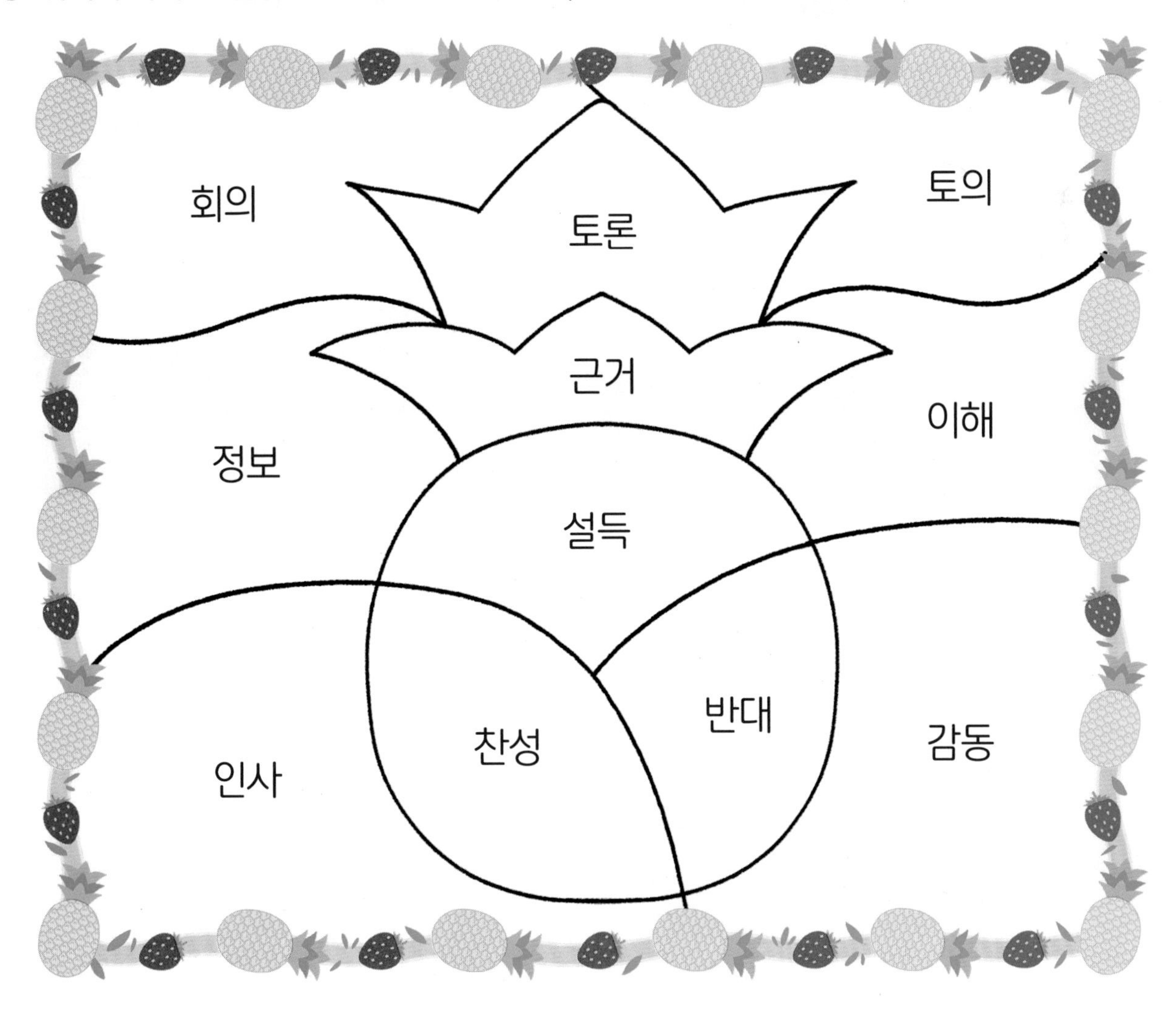

토론에서 주장 펼치기

◎ 다음 만화를 읽고, 토론에서 주장을 펼치는 말을 쓰세요.

어휘 풀이

▼**수단** | 손 수 手, 구분 단 段 | 어떤 목적을 이루기 위한 방법. 또는 그 도구.

예 글쓰기는 자신의 생각을 표현하는 가장 좋은 수단이다.

▼**제한** | 억제할 제 制, 한계 한 限 | 일정한 정도나 범위를 정하거나, 그 정도나 범위를 넘지 못하게 막음. 또는 그렇게 정한 한계. 예 학교 운동장이 제한 없이 개방되었다.

▼**불길** | 아닐 불 不, 길할 길 吉 | **한** 운이 좋지 않고 나쁜 일이 생길 것 같은 느낌이 있는.

예 어젯밤에 불길한 꿈을 꾸었다.

▶정답 및 해설 6쪽

낱말 쓰기

학교 안에서의 스마트폰 사용을 허락해야 한다는 주장에 대한 근거로 알맞은 말을 보기 에서 각각 골라 쓰세요.

보기

게임　　쉽고　　연락

(1) 수업 시간에 모르는 낱말이나 궁금한 점을 ☐☐ 빠르게 찾아볼 수 있습니다.

(2) 학교에 있는 동안 부모님과 ☐☐ 하는 수단으로 사용할 수 있습니다.

문장 쓰기

2 단계

1 에서 답한 근거를 한 문장으로 정리하여 쓰세요.

학교 안에서 스마트폰을 사용하면 수업 시간에 모르는 낱말이나 궁금한 점을 ______ 수 있고, 학교에 있는 동안 ______ 수단으로 사용할 수 있습니다.

한 편 쓰기

2 에서 쓴 문장을 넣어 주장을 펼치는 말을 완성하세요.

이런 까닭으로 학교 안에서의 스마트폰 사용을 허락해야 합니다.

1 주

▶정답 및 해설 6쪽

1 낱말 고쳐쓰기

다음 설명을 잘 읽고, 밑줄 그은 낱말을 바르게 고쳐 쓰세요.

어떡해	'어떻게 해'가 줄어든 말임.
어떻게	'의견이나 상태, 성질 등이 어찌 되어 있다.'를 뜻하는 '어떻다'의 '어떻-'에 '-게'가 합쳐진 말임.

2 문장 고쳐쓰기

다음 친구가 고쳐 쓴 문장 과 같이 알맞은 말을 넣어 밑줄 그은 부분을 고치고, 문장을 따라 쓰세요.

친구가 고쳐 쓴 문장

왜냐하면 학교 안에서 스마트폰을 못 만지게 하는 것은 현실적으로 불가능합니다.
→ 왜냐하면 학교 안에서 스마트폰을 못 만지게 하는 것은 현실적으로 불가능하기 때문입니다.

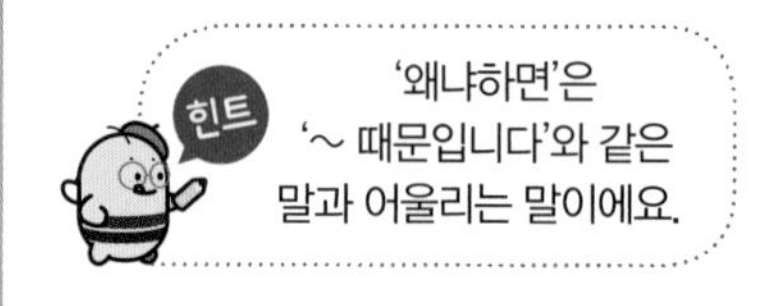

왜냐하면 스마트폰을 많이 사용하면 시력이 나빠집니다.

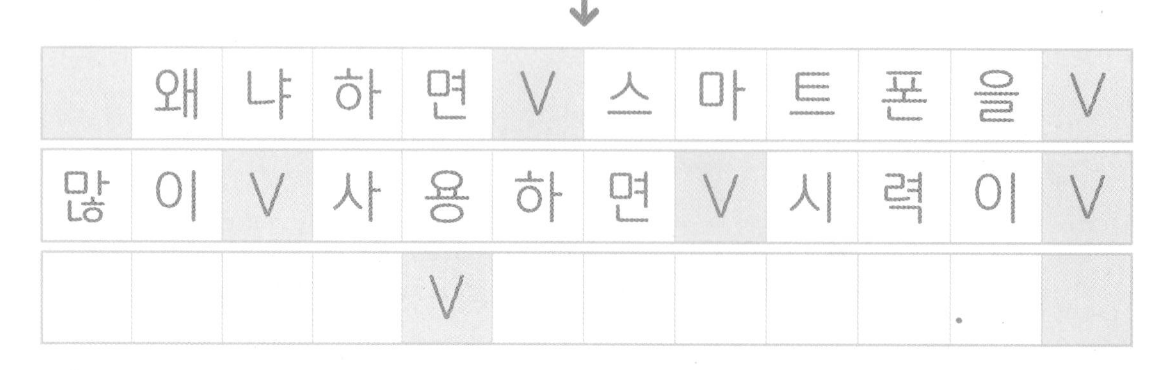

▶정답 및 해설 6쪽

다음 그림을 잘 보고, 주장에 알맞은 근거를 두 가지 써넣어 토론에서 주장을 펼치는 말을 완성하세요.

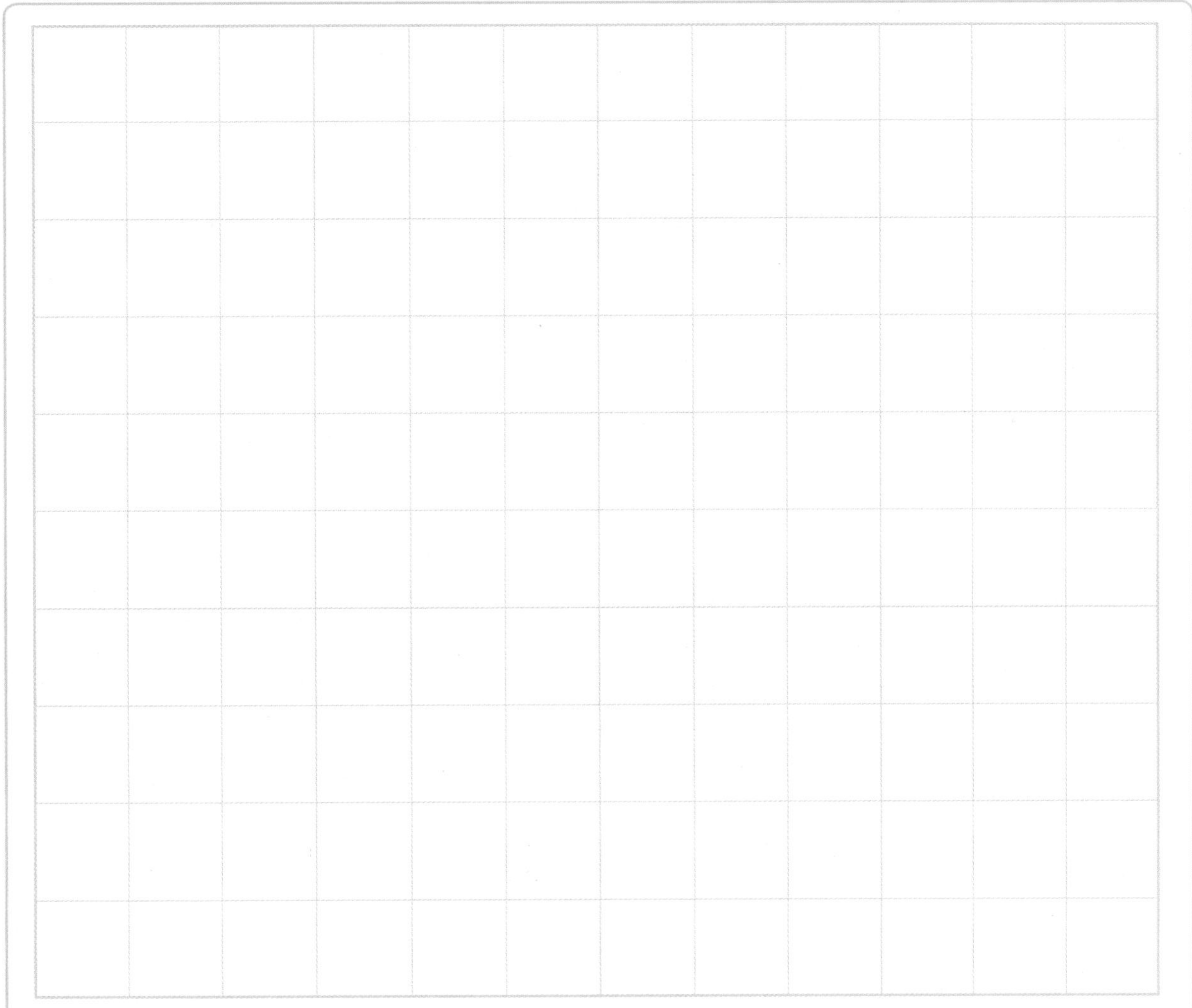

이런 까닭으로 학교 안에서의 스마트폰 사용을 제한해야 합니다.

먼저 그림을 잘 보고, 학교 안에서 스마트폰을 사용했을 때에 안 좋은 점은 무엇인지 생각해 봐요. 그런 다음, 학교 안에서의 스마트폰 사용을 제한해야 한다는 주장에 알맞은 근거를 두 가지 써넣어 주장을 펼치는 말을 완성해 보세요.

1주 특강

생활 어휘 다음 만화를 보며 속담의 뜻을 알아보고, 상황에 맞게 속담을 써 보세요.

고래 싸움에 새우 등 터진다

▶정답 및 해설 7쪽

속담의 뜻을 알아봐요!

고래 싸움에 새우 등 터진다

이 속담은 "강한 자들끼리 싸우는 바람에 아무 상관도 없는 약한 자가 중간에 끼어 피해를 입게 된다."라는 뜻이랍니다.

이제 이 속담을 넣어 상황에 맞게 써 볼까요?

"□□ □□□ □□ □□□"더니 형들이 싸우는 바람에 나까지 떡볶이를 못 먹게 됐다.

◉ 기찬이가 동물 보호소에서 지내고 있는 반려동물을 입양하기로 했어요. 동물 보호소로 가려면 어떤 길로 가야 할지 낱말의 뜻이 알맞게 제시된 길을 따라 선으로 이어 보세요.

창의 1주에 쓰인 **낱말과 그 뜻**을 익히며 동물 보호소로 가는 길을 찾아봅니다.

▶정답 및 해설 7쪽

우리말을 바르게 사용한 칸을 모두 지나 도착 지점까지 갈 수 있도록 코딩 카드의 빈칸에 알맞은 숫자를 각각 쓰세요.

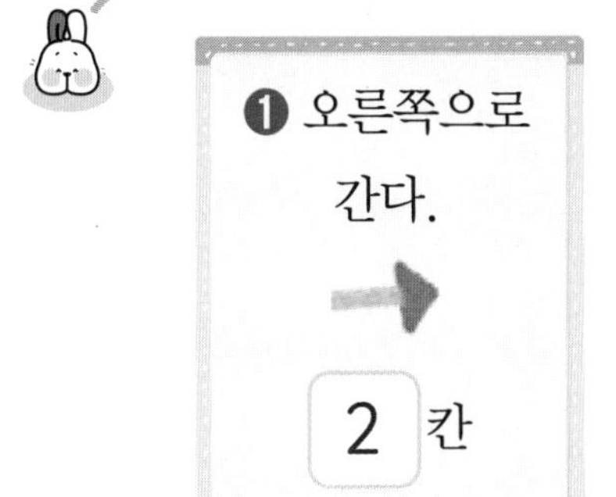

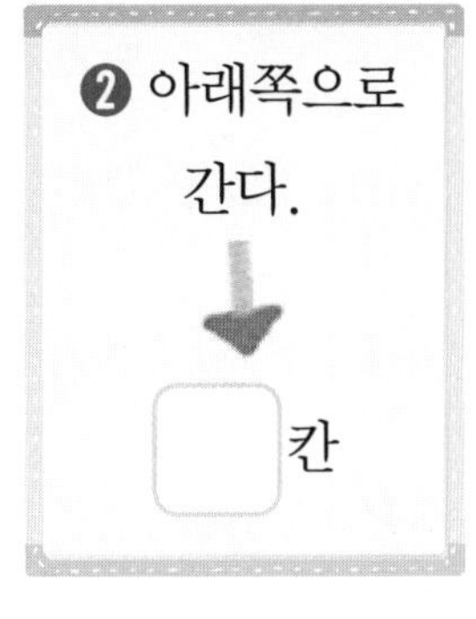

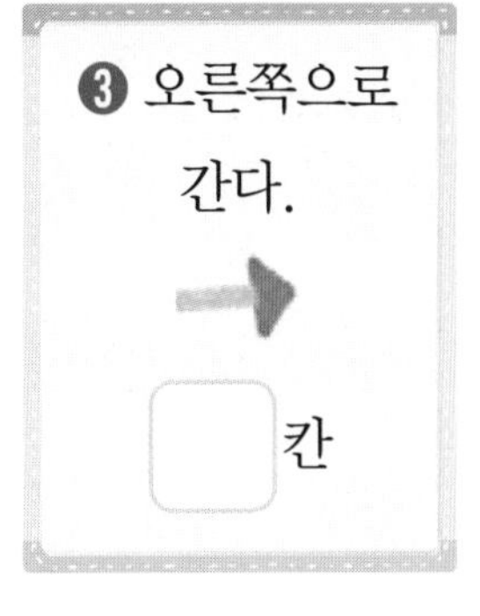

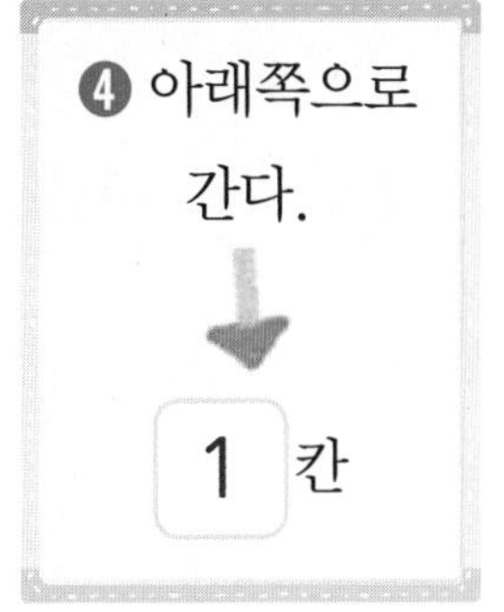

코딩 줄임 말이나 신조어 등을 쓰지 않고 **우리말을 바르게 사용한 경우**를 골라 도착 지점까지 가려면 어떻게 가야 하는지 **코딩 카드를 완성**해 봅니다.

◉ 채민이네 가족이 대청소를 했더니 쓰레기가 많이 나왔어요. 쓰레기의 총량을 곱셈을 이용하여 계산해 보세요.

식: ☐ × 3 = ☐

답: 쓰레기의 총량은 ☐ 리터예요.

융합 국어+수학

일반 쓰레기는 쓰레기 종량제 봉투에 넣어 버려야 한다는 사실을 떠올리며 **(몇십)** × **(몇)**을 계산해 봅니다.

▶정답 및 해설 7쪽

◎ 시장에서 사람들이 물건을 사고 있어요. 일회용품의 사용을 줄이는 방법을 잘 실천하고 있는 사람을 두 명 찾아 ○표를 하세요.

융합 국어+사회

일회용품의 사용을 줄이자고 주장하는 글의 내용을 떠올리며 **일회용품의 사용을 줄일 수 있는 방법**을 알아봅니다.

1주 누구나 100점 테스트

1 **주장하는 글에 대한 설명으로 알맞은 말을 골라 ○표를 하세요.**

> 주장하는 글은 어떤 문제에 대하여 다른 사람을 (설득 , 이해)하기 위해 자신의 주장과 근거를 쓴 글이다.

[2~3] 다음 글을 읽고, 물음에 답하세요.

> 다른 사람의 글을 베껴 ㉠숙제로제출하고 허락 없이 노래를 인터넷에 올리는 등 저작권을 침해하는 일이 늘고 있다. 다른 사람의 저작권을 인정하고 지켜 주자.

2 **㉠을 알맞게 띄어 쓴 것을 골라 ○표를 하세요.**

(1) 숙제로∨제출하고 (   )
(2) 숙제로∨제출∨하고 (   )

글쓰기

3 **이 글에 나타난 글쓴이의 주장에 알맞은 말을 글에서 찾아 쓰고, 문장을 따라 쓰세요.**

	다	른	V	사	람	의	V
			을	V	인	정	하
고	V	지	켜	V	주	자	.

[4~5] 다음 글을 읽고, 물음에 답하세요.

> (가) 동물도 하나의 생명이기 때문에 물건 취급을 하며 사고파는 것은 결코 [㉠]. 동물들을 사고팔기 위해 철창에 가둬 두고 일생 새끼만 낳게 하는 곳이 있다고 한다.
>
> (나) 반려동물을 입양하면 버려진 반려동물의 죽음을 막을 수도 있다. 이 도표를 보면 주인에게 버려지거나 주인을 잃어버린 동물들이 구조되더라도 질병 등의 문제로 자연사하거나 동물 안락사를 당해 46.6 퍼센트나 죽었다는 것을 알 수 있다.
>
> 구조된 동물의 보호 형태
> ■ 인도 ■ 분양 ■ 기증 ■ 자연사 ■ 안락사 ■ 기타 ■ 보호 중
> 12.1 26.4 24.8 1.4 21.8 1.7 11.8
> 출처: 농림축산검역본부, 2019.

4 **[㉠] 안에 들어갈 알맞은 말은 무엇인가요?** (   )

① 맞다　② 좋다
③ 옳다　④ 바르다
⑤ 옳지 않다

5 **이 글을 읽고 반려동물을 입양해야 한다는 주장에 알맞은 근거를 말한 사람은 누구인지 이름을 쓰세요.**

> **달래:** 반려동물을 입양하면 버려진 반려동물의 죽음을 막을 수도 있어.
> **밤톨:** 반려동물을 입양하는 것보다 버려진 반려동물을 구조하는 것이 더 중요해.

(   )

점수

▶정답 및 해설 8쪽

[6~7] 다음 글을 읽고, 물음에 답하세요.

(가) 우리 학교 4학년 학생 100명에게 설문 조사를 한 결과, 95명이 지저분하게 버려진 쓰레기를 보면 기분이 나쁘다고 응답했다. 이처럼 쓰레기를 정해진 ㉠곳에 제대로 버리지 않으면 지저분하고 쓰레기에서 나쁜 냄새가 나기 때문에 그것을 보는 사람들의 기분이 나빠진다.

(나) 쓰레기를 정해진 곳에 제대로 버리지 않으면 쓰레기가 제대로 처리되지 않아 환경이 오염될 수 있다.

6 ㉠과 뜻이 비슷한 낱말은 무엇인가요? (　　　)

① 때　② 장소
③ 시간　④ 가격
⑤ 사람

7 이 글의 내용을 요약하려고 해요. 빈칸에 알맞은 낱말을 글에서 찾아 쓰세요.

아무렇게나 버려진 쓰레기는 우리의 기분과 [ㅎ][ㄱ]을 해친다.

[8~9] 다음 글을 읽고, 물음에 답하세요.

일회용품의 사용이 점점 늘면서 지구와 우리의 몸이 병들고 있다. 일회용품의 사용을 줄이자.

일회용품은 오랫동안 썩지 않아 환경을 오염시킨다. 버려진 일회용품이 땅속에서 썩는 데 종이컵은 20년 이상, 플라스틱 용기는 50~80년, 비닐봉지는 500년 이상 걸린다고 한다.

8 글쓴이의 주장은 무엇인지 빈칸에 알맞은 낱말을 글에서 찾아 쓰세요.

• [ㅇ][ㅎ][ㅇ][ㅍ]의 사용을 줄이자.

글쓰기

9 8에서 답한 주장을 뒷받침하는 근거로 알맞은 말을 글에서 찾아 쓰고, 문장을 따라 쓰세요.

	일	회	용	품	은	V	오
랫	동	안	V	썩	지	V	않
아	V	환	경	을	V		
시	킨	다	.				

10 다음은 무엇에 대한 설명인지 골라 ○표를 하세요.

어떤 문제를 놓고 찬성과 반대로 나뉘어 상대방을 설득하는 말하기를 (토론 , 설명)이라고 한다.

1주

2주

2주에는 무엇을 공부할까? ❶

2
주

안내문을 써 보자!

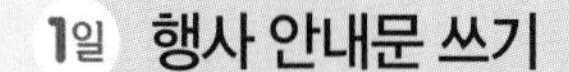

1일 행사 안내문 쓰기
2일 관람 안내문 쓰기
3일 금지 안내문 쓰기
4일 이용 방법 안내문 쓰기
5일 안내 문자 메시지 쓰기

2주 2주에는 무엇을 공부할까? ❷

1-1 다음은 무엇에 대한 설명인지 알맞은 것을 골라 ◯표를 하세요.

어떤 내용을 다른 사람에게 소개하고 알려 주기 위한 목적으로 쓰는 실용적인 글이에요.

(1) 안내문 ( )

(2) 주장하는 글 ( )

(3) 독서 감상문 ( )

1-2 다음 달래의 말을 잘 읽고, 달래가 어떤 글을 쓰면 좋을지 골라 따라 쓰세요.

도서 바자회 행사에 대해 다른 사람에게 소개하고 알려 주고 싶어.

일 기 　 보 고 서 　 안 내 문

▶정답 및 해설 9쪽

2주

2-1 **금지 안내문을 쓰는 방법으로 알맞지 않은 것을 골라 ×표를 하세요.**

(1) 어떤 위험한 점이 있는지 쓴다. ( )

(2) 어떤 행위를 해야 하는지 쓴다. ( )

(3) 어떤 피해를 줄 수 있는지 쓴다. ( )

2-2 **다음 그림을 보고, 금지 안내문에 어떤 문장이 들어가야 할지 알맞은 것을 골라 ○표를 하세요.**

(1) 급식을 받을 때에는 새치기를 삼가 주시기 바랍니다. ( )

(2) 급식을 먹을 때에는 음식을 골고루 먹어야 건강에 좋습니다. ( )

1일 행사 안내문 쓰기

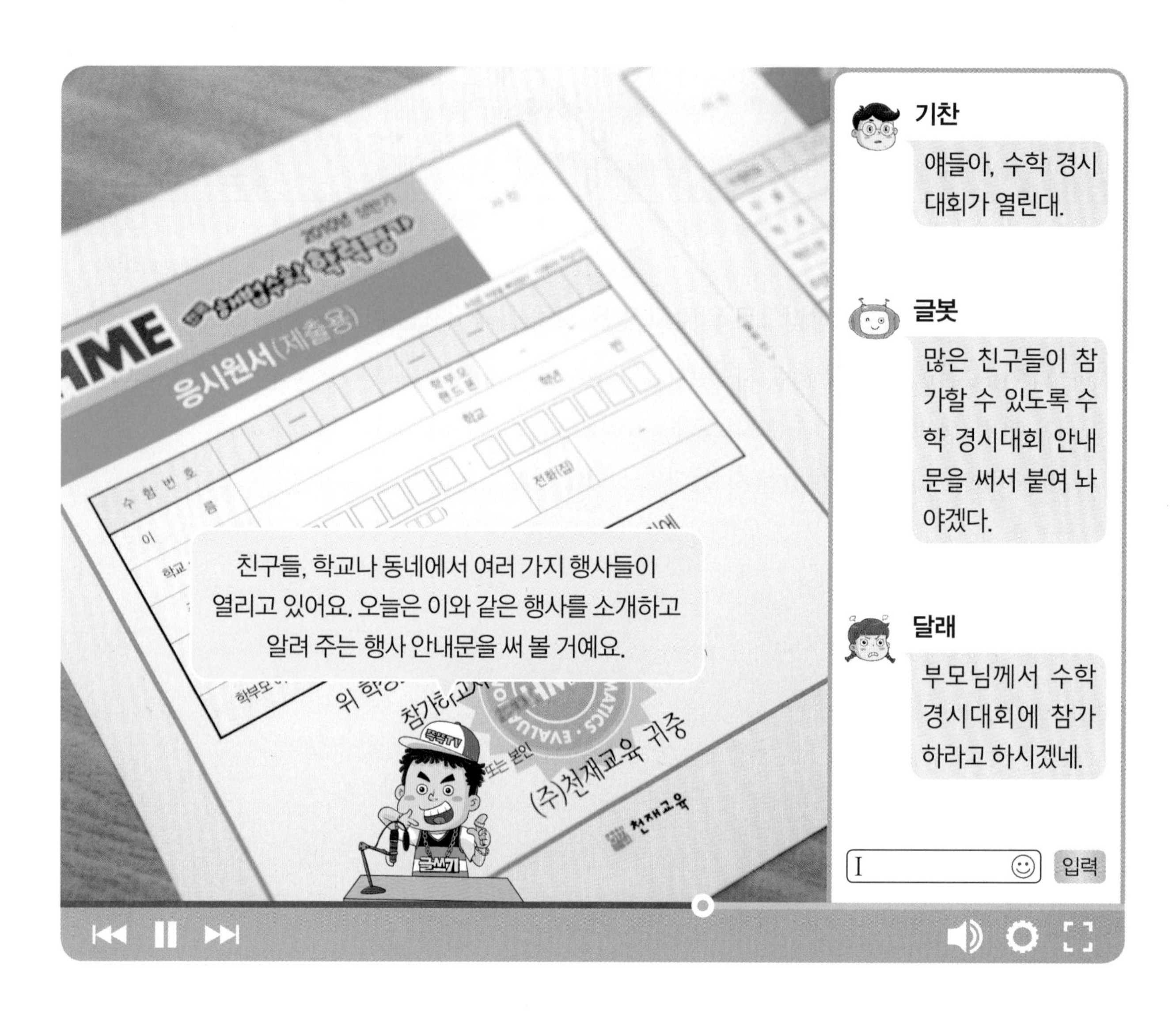

여러 가지 행사 안내문을 써라!

안내문이란 어떤 내용을 다른 사람에게 소개하고 알려 주기 위한 목적으로 쓰는 실용적인 글이에요.
행사 안내문을 쓸 때에는 어떤 행사인지 소개하는 내용을 쓰고, 행사를 하는 때와 장소를 알려 주는 내용을 쓰면 돼요.

▶정답 및 해설 9쪽

● 행사 안내문을 쓰는 방법에 맞게 빈칸에 알맞은 말을 쓰고, 퍼즐판에서 찾아 ◯표를 하세요.

❶ ☐☐☐ 이란 어떤 내용을 다른 사람에게 소개하고 알려 주기 위한 목적으로 쓰는 실용적인 글이에요.

장	난	소	개
소	띠	식	당
나	안	내	문
기	차	복	구

행사 안내문을 쓸 때에는 어떤 행사인지 ❷ ☐☐ 하는 내용을 써요.

행사를 하는 때와 ❸ ☐☐ 를 알려 주는 내용을 써요.

행사 안내문 쓰기

◉ 다음 만화를 읽고, 도서 바자회 행사 안내문을 쓰세요.

어휘 풀이

▼ **수익금** | 거둘 수 收, 더할 익 益, 쇠 금 金 | 벌어들인 돈에서 돈을 버는 데 쓰인 금액을 빼고 남은 돈.
예 이번 바자회의 수익금은 새 책을 사는 데 쓰기로 했다.

▼ **기부** | 부칠 기 寄, 붙을 부 附 | 다른 사람이나 기관, 단체 등을 도울 목적으로 돈이나 재산을 대가 없이 내놓음. 예 일 년 동안 용돈을 모아서 가난한 학생들을 위해 기부하였다.

▶정답 및 해설 9쪽

2주

낱말 쓰기

1단계 다음 그림을 보고, 어떤 행사가 열리는지 빈칸에 알맞은 낱말을 쓰세요.

사랑 나눔 ㄷ ㅅ 바자회

문장 쓰기

2단계 보기 의 말을 이용하여 1에서 답한 행사를 소개하는 문장을 쓰세요.

보기

이웃을 　 도울 　 불우 　 수익금으로

천재초등학교 학생들이 기부한 책들을 모아 판매하고, 그 ☐☐☐☐ ☐☐☐ ☐☐ ☐☐ 예정입니다.

한 편 쓰기

3단계 1과 2에서 쓴 내용을 넣어 행사 안내문을 완성하세요.

사랑 나눔 ❶ ☐☐ 바자회

천재초등학교 학생들이 ❷ ______________________

____

____

많은 참여 부탁드립니다.

- **때**: 20○○년 5월 1일 금요일 오후 2시
- **장소**: 천재초등학교 운동장

▶정답 및 해설 9쪽

1 낱말 고쳐쓰기

다음 문장의 밑줄 그은 낱말 대신 바꿔 쓰기에 알맞은 낱말을 보기 에서 골라 쓰세요.

보기

그림 독서 책

이번 주 금요일 오후 2시에 학교 운동장에서 도서 바자회 행사를 열 거예요.

↓

이번 주 금요일 오후 2시에 학교 운동장에서 [   ] 바자회 행사를 열 거예요.

2 문장 고쳐쓰기

다음 친구가 고쳐 쓴 문장 처럼 밑줄 그은 부분의 띄어쓰기를 바르게 고치고, 문장을 따라 쓰세요.

친구가 고쳐 쓴 문장

사과를 열개 씩 상자에 담아 주세요.

→ 사과를 열 개씩 상자에 담아 주세요.

	책	을	V	한	권	V	씩	V	가	져	와	V
기	부	해	V	주	세	요	.					

↓

	책	을	V		V			V	가	져	와	V
기	부	해	V	주	세	요	.					

'개'와 '권'처럼 단위를 나타내는 말은 앞말과 띄어 쓰고, '그 수량이나 크기로 나뉘거나 되풀이됨'의 뜻을 더하는 말인 '씩'은 앞말과 붙여 써요.

똑똑한
하루 글쓰기 마무리
내 생각 쓰기로 하루 마무리

▶정답 및 해설 9쪽

◉ 다음은 독서 퀴즈 대회 안내문이에요. 보기 에서 알맞은 내용을 두 가지 골라 빈칸에 써넣어 안내문을 완성하세요.

보기

- 독서 퀴즈 대회를 개최합니다.
- 우리말 겨루기 대회를 개최합니다.
- 이번 달 추천 도서 5권을 읽고, 독서 감상문을 쓰면 됩니다.
- 이번 달 추천 도서 5권을 읽고, 이와 관련된 퀴즈를 풀면 됩니다.

힌트 ❶에는 어떤 대회가 개최되는지 쓰고, ❷에는 그 대회를 소개하는 내용을 쓰면 돼요.

천재초등학교의 독서왕을 찾아라!

독서 퀴즈 대회

❶

	천	재	초	등	학	교		도	서	관	에
서											

❷

퀴즈를 가장 많이 맞힌 학생에게는 상장과 상품을 수여할 예정입니다. 많은 학생들의 관심과 참여를 부탁드립니다.

- **때:** 20○○년 5월 4일 월요일 오후 1시
- **장소:** 천재초등학교 도서관

2주

2일 관람 안내문 쓰기

여러 장소의 관람 안내문을 써라!

관람이란 연극, 영화, 운동 경기, 미술품 등을 구경하는 것을 말해요.

관람 안내문을 쓸 때에는 관람 날짜와 시간, 관람 전에 알아 두어야 할 점, 관람 시 주의해야 할 점 등을 알려 주는 내용을 써야 해요.

▶정답 및 해설 10쪽

관람 안내문을 쓰는 방법에 맞게 빈칸에 알맞은 말을 따라 쓰세요.

관 람 이란 연극, 영화, 운동 경기, 미술품 등을 구 경 하는 것을 말해요. 관람 안내문을 쓸 때에는 관람 날 짜 와 시 간 , 관람 전에 알아 두어야 할 점, 관람 시 주 의 해야 할 점 등을 알려 주는 내용을 써야 해요.

위에서 따라 쓴 말을 모두 찾아 색칠해 보고, 어떤 모양이 나오는지 알아보아요.

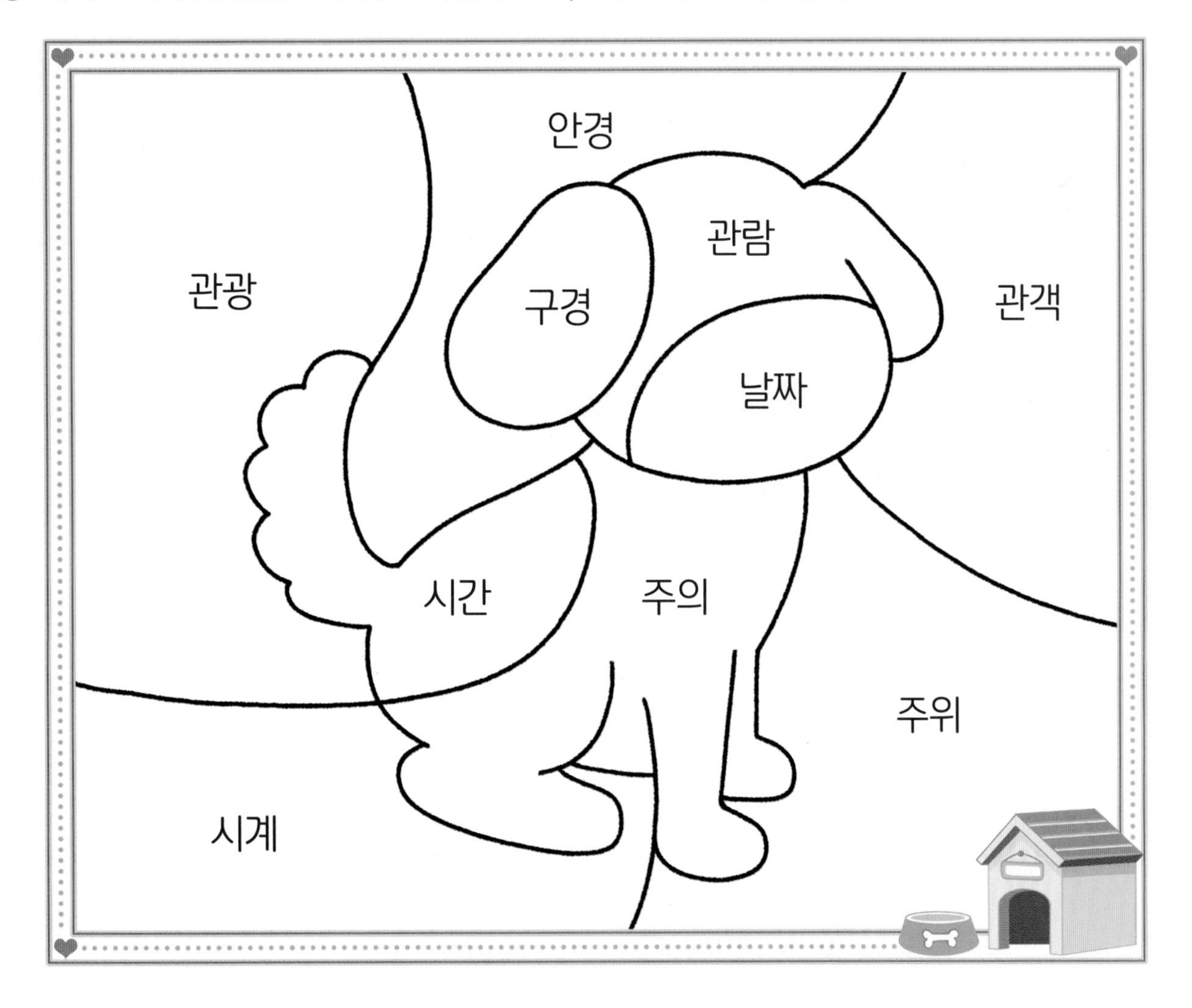

2일 관람 안내문 쓰기

● 다음 대화를 읽고, 미술 전시회 관람 안내문을 쓰세요.

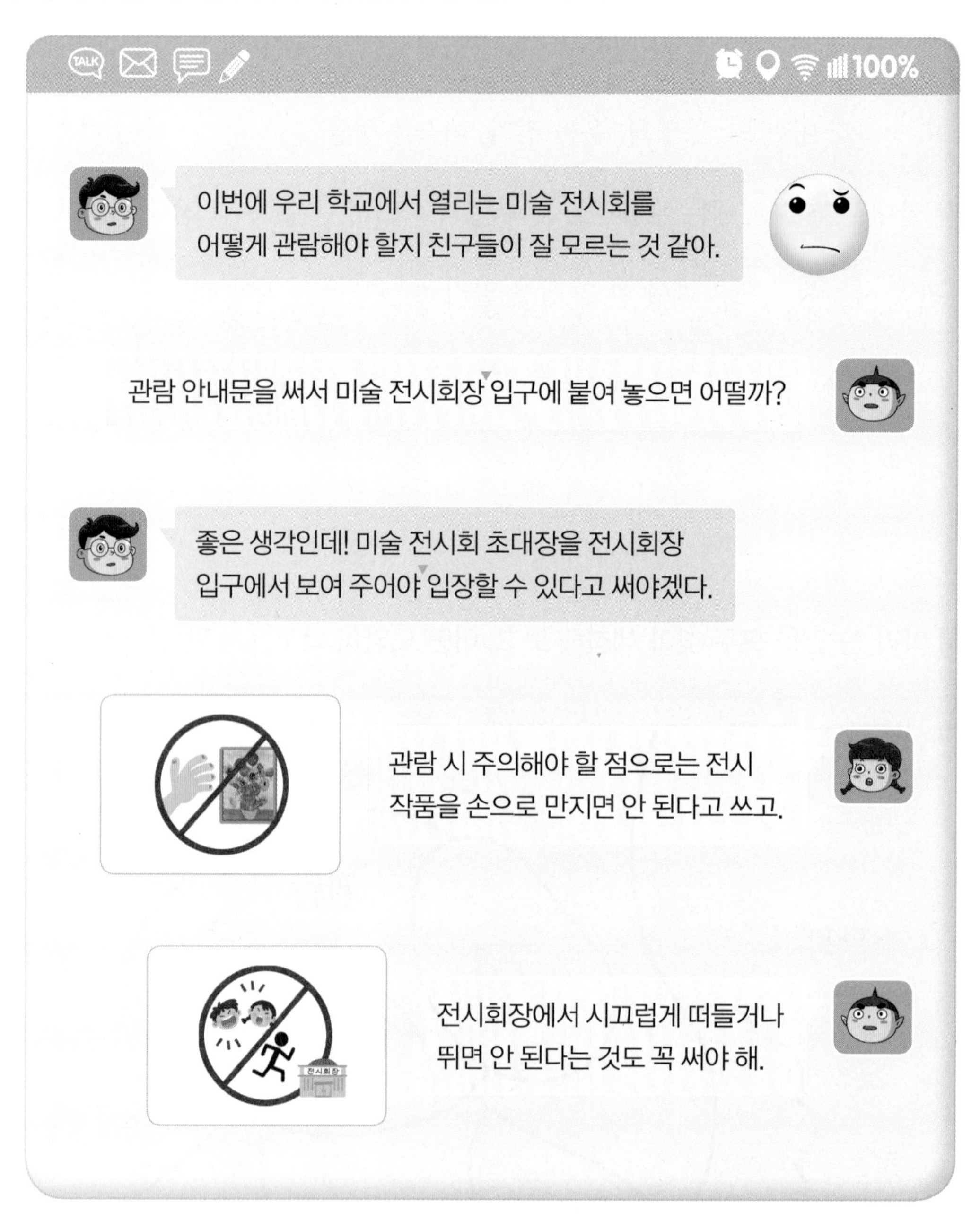

어휘 풀이

▼ **입구**| 들 입 入, 입 구 口 | 들어가는 통로. ㉮ 친구와 지하철역 입구에서 만나기로 약속하였다.

▼ **입장**| 들 입 入, 마당 장 場 | 행사나 공연 등이 열리는 장소 안으로 들어감.
㉮ 연주회장에 8세 미만의 어린이는 입장할 수 없다.

▶정답 및 해설 10쪽

낱말 쓰기

1단계 미술 전시회 관람 전에 알아 두어야 할 내용에 알맞은 낱말을 빈칸에 쓰세요.

미술 전시회 ㅊ ㄷ ㅈ 을 전시회장 입구에서 보여 주어야 입장할 수 있습니다.

문장 쓰기

2단계 보기 에서 알맞은 말을 골라 미술 전시회를 관람할 때 주의해야 할 점을 쓰세요.

보기

기계로 만지지 만들지 손으로

작품을 눈으로만 감상하고 ______ 말아 주십시오.

한 편 쓰기

3단계 1과 2에서 쓴 내용을 넣어 미술 전시회 관람 안내문을 완성하세요.

천재초등학교 미술 전시회 관람 안내

- 관람 날짜와 관람 시간: 20○○년 5월 8일 오전 10시 ~ 오후 6시
- 관람 전에 알아 두어야 할 내용: 각 반 담임 선생님께 받은 ❶ ______
- 관람 시 주의해야 할 점:

	❷ ______
	전시회장에서 시끄럽게 떠들거나 뛰지 말아 주십시오.

▶정답 및 해설 10쪽

1 낱말 고쳐쓰기

다음 설명을 잘 읽고, 밑줄 그은 낱말을 바르게 고쳐 쓰세요.

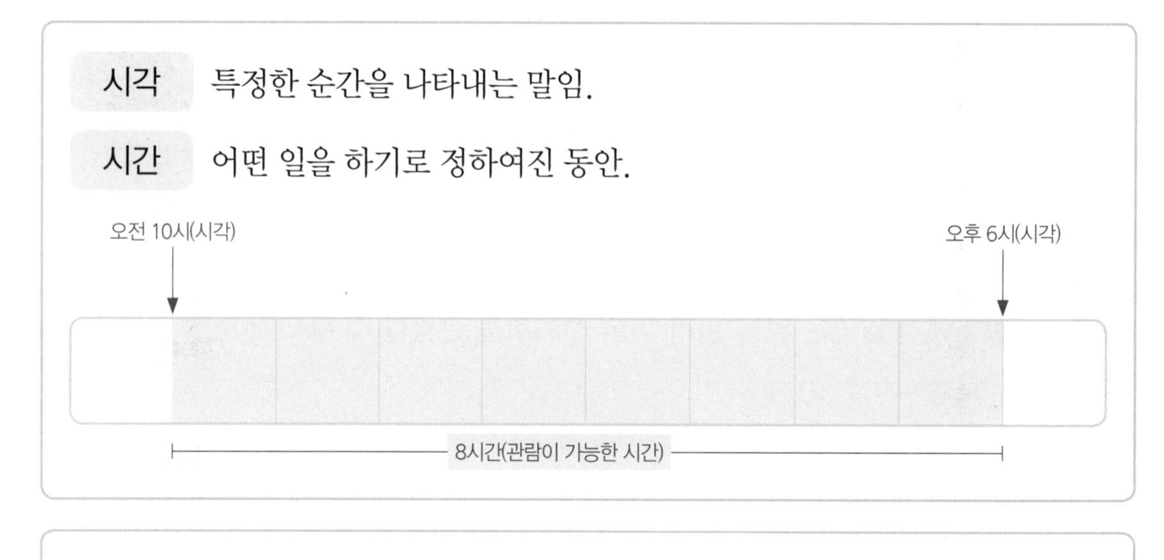

• 관람 <u>시각</u>: 오전 10시 ~ 오후 6시 ➔ • 관람 ☐☐: 오전 10시 ~ 오후 6시

2 문장 고쳐쓰기

밤톨이의 말에서 밑줄 그은 부분을 바르게 고치고, 문장을 따라 쓰세요.

전시회장에서 시끄럽게 떠들거나 뛰지 말아 <u>주십시요.</u>

정중한 명령이나 권유를 나타낼 때에는 '주십시오'라고 써야 해요. '주십시오'를 그 발음에 따라 '주십시요'라고 쓰지 않도록 주의해야 해요.

▶정답 및 해설 10쪽

● 다음 만화를 읽고, 연극 관람 안내문을 완성해 보세요.

천재초등학교 연극 관람 안내

- 관람 날짜와 관람 시간: 20◯◯년 7월 16일 오후 1시 ~ 오후 2시 30분
- 관람 전에 알아 두어야 할 내용: 공연장 입구에 마련된 매표소에서 ❶ ☐☐ ☐☐☐☐ 관람할 수 있습니다.
- 관람 시 주의해야 할 점:
  - 지정된 좌석에 앉아 주십시오.
  - 공연 중에는 ❷ ☐☐ ☐☐☐ ☐ 주십시오.

힌트 ❶에는 관람 전에 매표소에서 무엇을 해야 연극 공연을 관람할 수 있는지 쓰고, ❷에는 공연 중에 어떻게 해야 연극 공연을 방해하지 않는지 써 보세요.

3일 금지 안내문 쓰기

금지란 법이나 규칙이나 명령으로 어떤 행위를 하지 못하게 하는 것을 말해요. 금지 안내문을 쓸 때에는 어떤 위험한 점이 있는지 또는 어떤 피해를 줄 수 있는지 쓰고, 어떤 행위를 해서는 안 되는지 분명한 말투로 쓰면 돼요.

똑똑한 하루 글쓰기 미리 보기

▶정답 및 해설 11쪽

◉ 사다리 타기를 하여 도착한 곳의 낱말을 따라 쓰며, 금지 안내문을 쓰는 방법을 알아보아요.

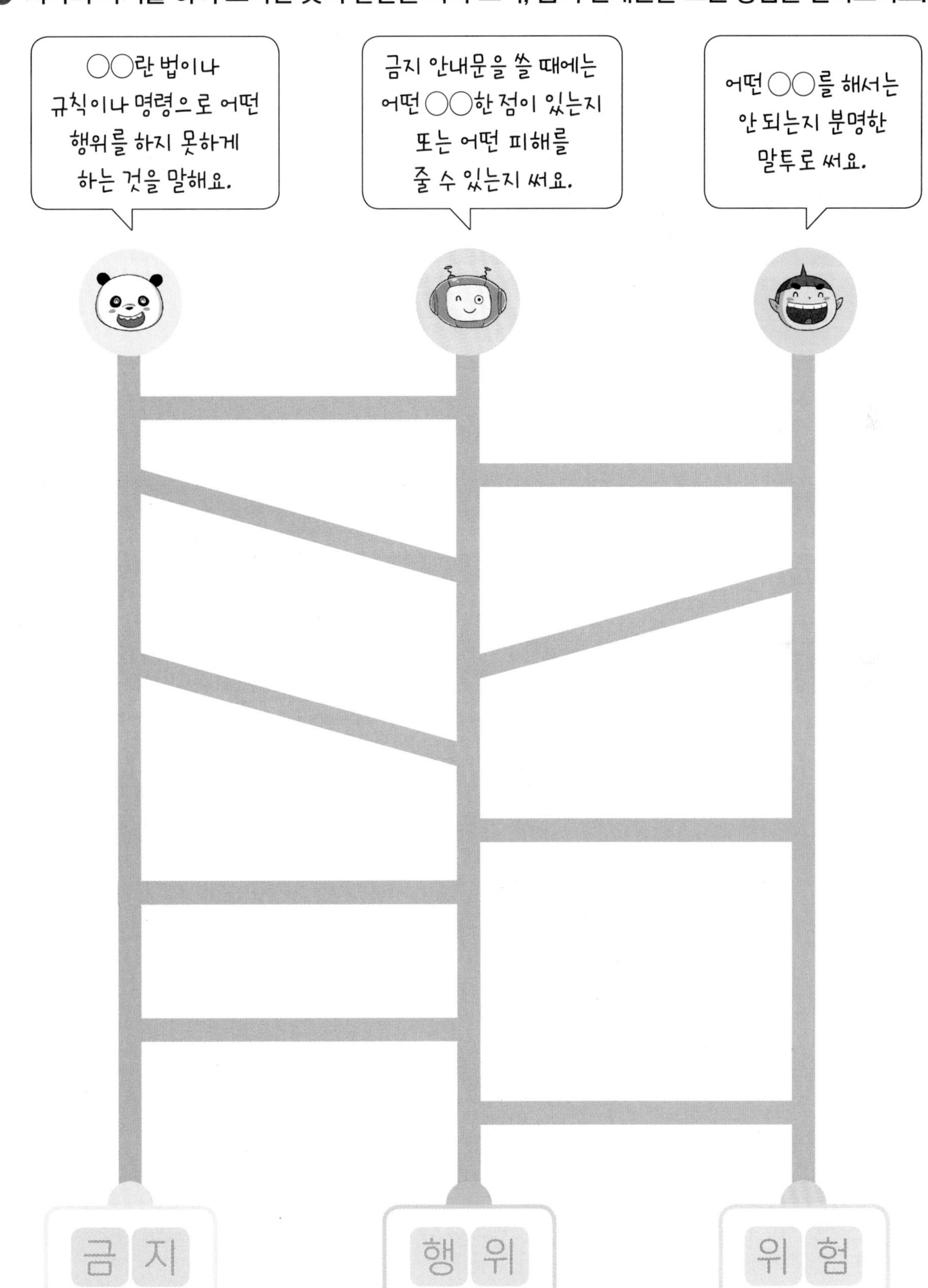

3일 금지 안내문 쓰기

● 점심시간 새치기 금지 안내문을 읽고, 교실 안 공놀이 금지 안내문에 들어갈 내용을 쓰세요.

점심시간 새치기 금지 안내

점심시간에 급식을 받을 때 새치기를 하여 다른 학생들의 ▾눈살을 찌푸리게 하는 일이 발생하고 있습니다.

급식을 받을 때에 새치기를 ▾삼가 주시기 바랍니다.

천재초등학교 전교 회장 이다솔

교실 안 공놀이 금지 안내

?

4학년 1반 회장 이현솔

어휘 풀이

▾ **눈살을 찌푸리게** 마음에 들지 않아 두 눈썹 사이를 찡그리게.

㉠ 박물관에서 큰 소리로 떠드는 사람을 보면 눈살을 찌푸리게 된다.

▾ **삼가** 어떤 것을 피하거나 양이나 횟수를 적게 해.

㉠ 오늘은 미세 먼지가 심하니 외출을 삼가 주세요.

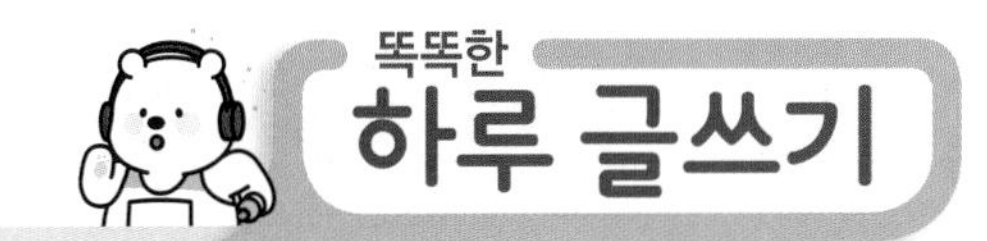

▶정답 및 해설 11쪽

낱말 쓰기

다음 그림을 보고, 교실 안에서 공놀이를 하면 어떤 위험한 점이 있는지 빈칸에 알맞은 말을 보기 에서 각각 골라 쓰세요.

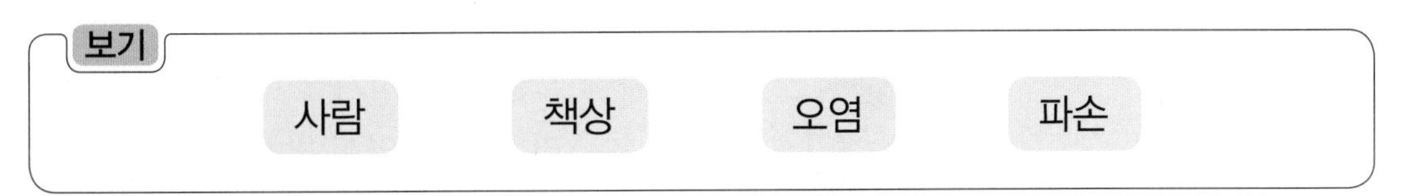

(1) ☐☐이 다치는 사고가 발생할 수 있습니다.

(2) 창문이나 전등이 ☐☐ 되는 사고가 발생할 수 있습니다.

2주

문장 쓰기

1 에서 쓴 내용을 한 문장으로 정리하여 쓰세요.

교실 안에서 공놀이를 하다가 공에 맞아 ☐☐이 다치거나 창문이나 ☐☐☐☐☐☐☐ 사고가 발생할 수 있습니다.

한 편 쓰기

2 에서 쓴 문장을 넣어 교실 안 공놀이 금지 안내문에 들어갈 내용을 완성하세요.

3일 똑똑한 하루 글쓰기 고쳐쓰기

▶정답 및 해설 11쪽

1 낱말 고쳐쓰기

다음 문장의 밑줄 그은 낱말을 바르게 고쳐 쓰세요.

급식을 받을 때 새치기를 하여 다른 학생들의 <u>눈쌀</u>을 찌푸리게 하는 일이 발생하고 있습니다.

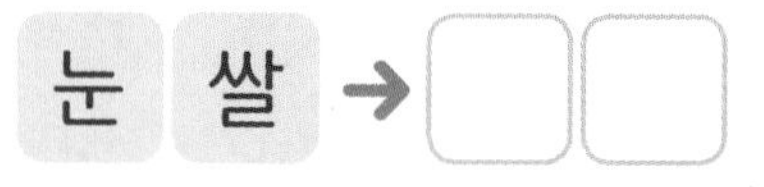

2 문장 고쳐쓰기

다음 친구가 고쳐 쓴 문장 과 같이 밑줄 그은 부분을 바르게 고치고, 문장을 따라 쓰세요.

친구가 고쳐 쓴 문장

오늘은 미세 먼지가 심하니 외출을 <u>삼가해</u> 주세요.
→ 오늘은 미세 먼지가 심하니 외출을 <u>삼가</u> 주세요.

	급	식	을	V	받	을	V	때	에	V	새
치	기	를	V	<u>삼</u>	<u>가</u>	<u>해</u>	V	주	시	기	V
바	랍	니	다	.							

↓

	급	식	을	V	받	을	V	때	에	V	새
치	기	를	V			V	주	시	기	V	바
랍	니	다	.								

'삼가다'는 '어떤 것을 피하거나 양이나 횟수를 적게 하다.'라는 뜻의 낱말이고, '삼가하다'는 '삼가다'를 잘못 쓴 것이에요.

▶정답 및 해설 11쪽

● 다음 대화를 읽고, 밤 9시 이후 악기 연주 금지 안내문에 들어갈 내용을 쓰세요.

밤 9시 이후 악기 연주 금지 안내

최근 늦은 밤에 피아노를 연주하여 아파트 주민들의 휴식과 수면을 방해하는 등 여러 가지 문제가 발생하고 있습니다.

	밤		9	시		이	후	에	는		

밤 9시 이후에 어떤 행위를 해서는 안 되는지 생각해 본 다음,
그와 같은 행위를 금지하는 문장을 써 보세요.

4일 이용 방법 안내문 쓰기

여러 가지 기기의 이용 방법 안내문을 써라!

무인 자동 주문 기기, 복사기 등 여러 가지 기기의
이용 방법 안내문을 쓸 때에는 이용 방법을 차례대로 쓰고,
알려 주는 내용을 이해하기 쉽게 써야 해요.

▶정답 및 해설 12쪽

● 그림에 맞는 퍼즐 모양을 찾아 ◯표를 하고, 이용 방법 안내문을 쓰는 방법을 알아보아요.

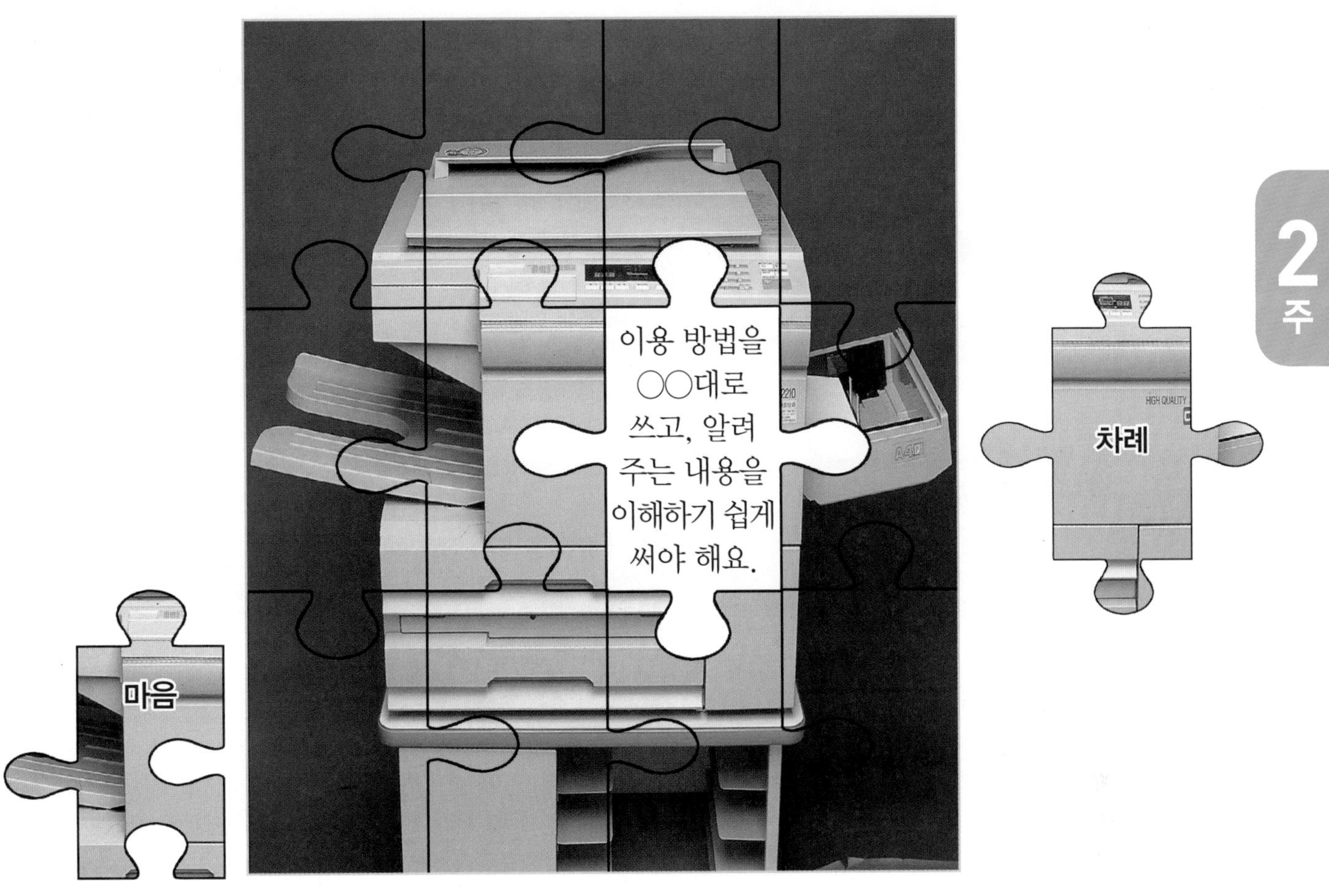

복사기 이용 방법을 생각하며 문장을 따라 쓰세요.

	복	사	할	V	종	이	를	V	원	고	대	V
위	에	V	놓	는	다	.						

4일 이용 방법 안내문 쓰기

◎ 다음 현솔이의 일기를 읽고, 햄버거 가게에 있는 무인 자동 주문 기기의 이용 방법 안내문에 들어갈 내용을 쓰세요.

20○○년 6월 2일 토요일	날씨: 구름이 잔뜩 낀 날

할머니께서 점심에 나와 동생에게 햄버거를 사다 주겠다고 하셨다. 하지만 햄버거 가게에 가셨던 할머니께서는 빈손으로 돌아오셨다. 할머니께서는 무인 자동 주문 기기의 이용 방법을 모르셔서 주문을 못하고 돌아오셨다고 한다. 무척 속상하다는 할머니의 말씀을 들으니 나까지 속상했다.

"할머니, 제가 무인 자동 주문 기기의 이용 방법 안내문을 써서 드릴게요. 너무 속상해하지 마세요."

어휘 풀이

- **빈손** 돈이나 물건 따위를 아무것도 가진 것이 없는 상태를 빗대어 이르는 말.
  예 용돈이 없어 친구의 생일잔치에 빈손으로 갔다.
- **무인**| 없을 무 無, 사람 인 人 | 사람이 없음. 예 요즘 무인 판매 가게가 늘고 있다.
- **기기**| 틀 기 機, 그릇 기 器 | 기계, 기구 등을 통틀어 이르는 말.
  예 방송국에 견학을 가서 다양한 종류의 방송 기기를 보았다.

▶정답 및 해설 12쪽

낱말 쓰기

다음은 무인 자동 주문 기기의 이용 방법을 차례대로 정리한 것이에요. 다음 그림을 보고, 빈칸에 알맞은 낱말을 각각 쓰세요.

❶	식사할 장소를 선택하여 누른다.
❷	원하는 [ㅁ][ㄴ]와 수량을 선택하여 누른다.
❸	주문 내역을 확인한 후 결제하기 단추를 누른다.
❹	결제 [ㅂ][ㅂ]을 선택하여 누른다.
❺	현금 또는 카드를 투입한다.
❻	영수증에 적힌 주문 번호를 확인한다.

문장 쓰기

1에서 쓴 내용을 넣어 무인 자동 주문 기기의 이용 방법 안내문을 완성하세요.

매장에서 먹기 〉 포장하기 〉	치킨버거 세트 776 kcal ₩5,100 / 불고기버거 세트 986 kcal ₩4,600 / 수량 / 치킨버거 세트 1 5,100	주문을 확인하세요. / 치킨버거 세트 1개 ₩5,100 / 추가 토핑 없음 / 주문 취소 / 결제하기
❶ 식사할 장소를 선택하여 누른다.	❷ ____________	❸ 주문 내역을 확인한 후 결제하기 단추를 누른다.
신용/체크 카드 / 모바일 금액권 / 간편 결제(OO페이) / 카드 결제 / 현금 결제	신용 카드를 투입구에 끝까지 넣어 주세요. / 신용 카드	주문 번호 26 / 치킨버거 세트 1개 5,100 / 결제 금액 5,100
❹ ____________	❺ 현금 또는 카드를 투입한다.	❻ 영수증에 적힌 주문 번호를 확인한다.

▶정답 및 해설 12쪽

1 낱말 고쳐쓰기

다음 낱말의 뜻과 예를 보고, 밑줄 그은 낱말을 그림에 알맞게 고쳐 쓰세요.

결재 업무를 결정할 권한이 있는 윗사람이 아랫사람이 낸 안건을 허가하거나 승인함. 예 사장님께 결재 서류를 보여 드렸다.

결제 물건값이나 내어 줄 돈을 주고 거래를 끝냄.
예 이 가게에서는 카드 결제만 가능하다.

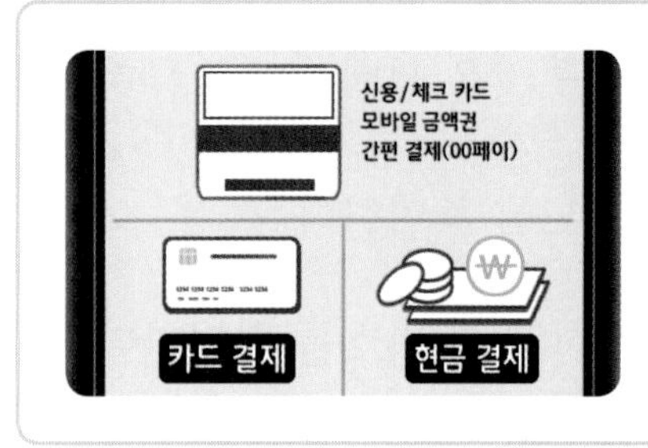

결재 방법을 선택하여 누른다.

결 재 → □□

2 문장 고쳐쓰기

현솔이의 말에서 밑줄 그은 부분을 바르게 고치고, 문장을 따라 쓰세요.

	할	머	니	,			V	무	인	V	자
동	V	주	문	V	기	기	의	V	이	용	V
방	법	V	안	내	문	을	V	써	서	V	
			.								

힌트 웃어른에게는 '내가'가 아니라 '제가'로 자신을 낮추어 표현해야 예절에 맞아요. 그리고 어떤 행동에 대한 약속이나 의지를 나타낼 때 쓰이는 '-ㄹ게'는 [께]로 소리 나더라도 '게'로 적어야 해요.

똑똑한 **하루 글쓰기 마무리** 내 생각 쓰기로 하루 마무리

▶ 정답 및 해설 12쪽

다음은 영화관에 붙어 있는 무인 자동 주문 기기의 이용 방법 안내문이에요. 빈칸에 알맞은 내용을 보기 에서 각각 골라 써넣어 안내문을 완성하세요.

보기

- 원하는 좌석을 선택하여 누른다.
- 관람할 영화를 선택하여 누른다.
- 티켓 구매 단추를 선택하여 누른다.

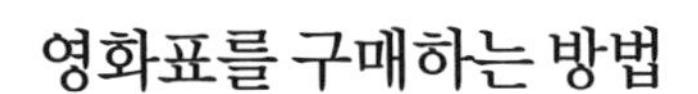

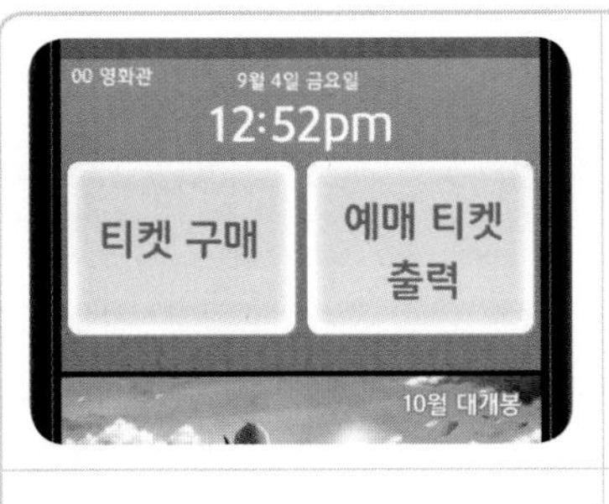

❶ ______________________

❷ ______________________

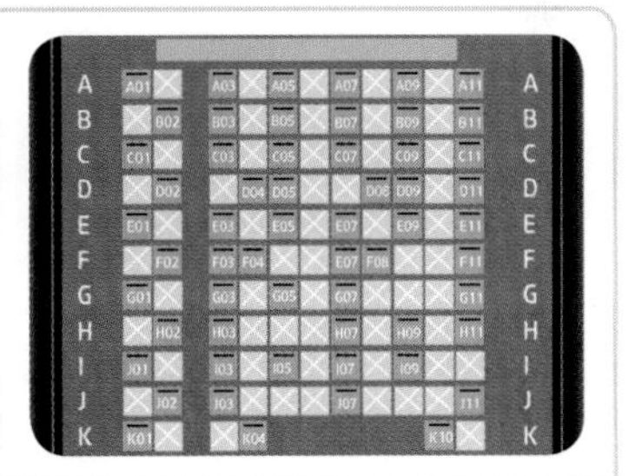

❸ ______________________

❹ 주문 내역을 확인한 후 결제하기 단추를 누른다.

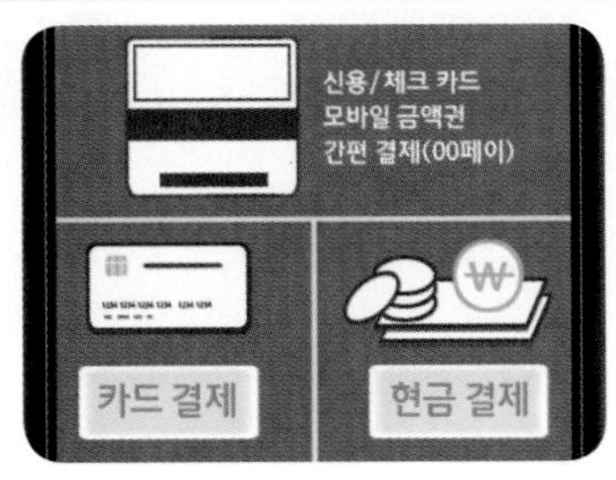

❺ 결제 방법을 선택하여 누른다.

❻ 현금 또는 카드를 투입한다.

❼ 티켓을 확인한다.

무인 자동 주문 기기의 화면을 잘 보고,
영화표를 구매하는 방법을 차례대로 써넣어 보세요.

5일 안내 문자 메시지 쓰기

안내 문자 메시지를 써라!

모임이나 행사 등이 변경되거나 취소되는 등 빠른 시간 안에 알려야 하는 정보가 있을 때에는 안내 문자 메시지를 쓰는 것이 좋아요.

안내 문자 메시지를 쓸 때에는 꼭 필요한 정보를 간단하고 분명하게 써요.

안내 문자 메시지에 그림말이나 줄임 말은 꼭 필요한 경우에만 적절하게 써야 해요.

▶ 정답 및 해설 12쪽

● 사다리 타기를 하여 도착한 곳의 낱말을 따라 쓰며, 안내 문자 메시지를 쓰는 방법을 알아보아요.

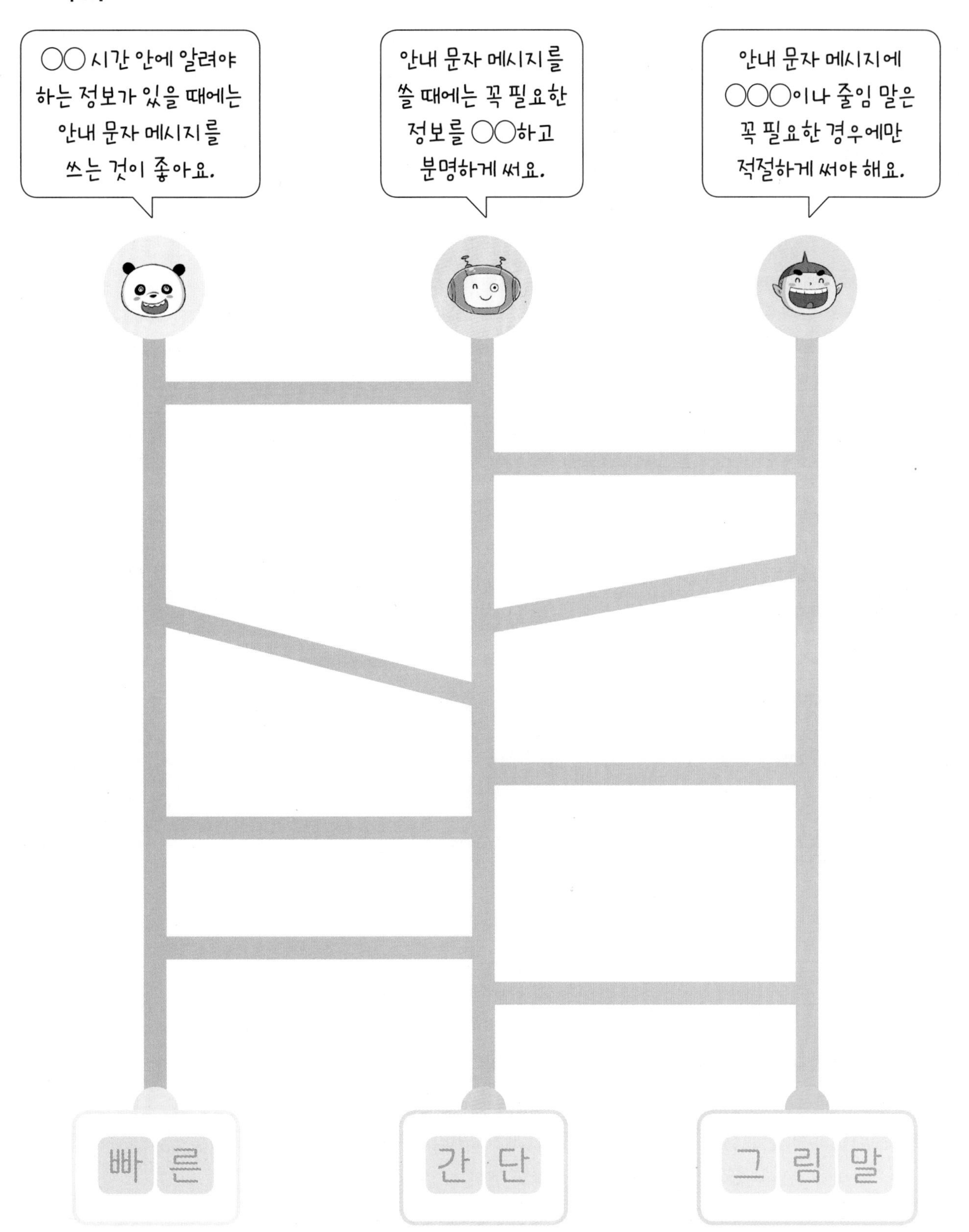

2주

5일 안내 문자 메시지 쓰기

◎ 다음 만화를 읽고, 안내 문자 메시지에 들어갈 내용을 쓰세요.

어휘 풀이

▾ **교체** | 사귈 교 交, 바꿀 체 替 | 사람이나 사물을 다른 사람이나 사물로 대신함.

예 아파트 엘리베이터가 너무 오래되어 새것으로 교체하기로 했다.

▾ **변경** | 변할 변 變, 고칠 경 更 | 다르게 바꾸어 새롭게 고침.

예 비가 오는 바람에 캠핑 계획을 변경해야만 했다.

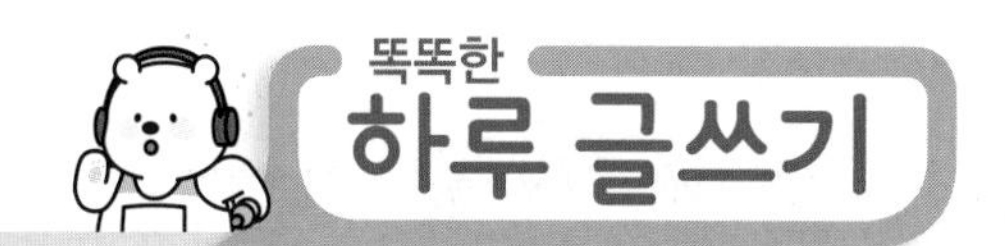

▶정답 및 해설 12쪽

낱말 쓰기

다음 그림을 보고, 빈칸에 알맞은 낱말을 각각 쓰세요.

(1) 학예회 연습 장소를 ㄱ ㄷ 에서 4학년 1반 교실로 변경합니다.

(2) 오후 2시까지 4학년 1반 ㄱ ㅅ 로 와 주세요.

문장 쓰기

1에서 쓴 내용을 두 문장으로 정리하여 쓰세요.

❶ 학예회 연습 장소를 　　　　　 에서 4학년 1반 　　　　　.

❷ 오후 2시까지 4학년 1반 　　　　　.

한 편 쓰기

2에서 쓴 문장을 넣어 안내 문자 메시지를 완성하세요.

TALK 100%

4학년 1반 친구들에게 알립니다.

	❶학	예	회	V			V				V
				V	4	학	년	V	1	반	V
			V						.	❷오	후
2	시	까	지	V				V			V
			V		V				.		

▶정답 및 해설 13쪽

1 낱말 고쳐쓰기

다음 달래의 말에서 밑줄 그은 낱말을 바르게 고쳐 쓰세요.

2 문장 고쳐쓰기

다음 달래의 말에서 밑줄 그은 부분을 바르게 고치고, 문장을 따라 쓰세요.

				,	내	일	V	오	후	V	2	
시	에	V	강	당	에	서	V	학	예	회	를	V
연	습	하	는	V	것	V			V	마	!	

내 눈앞에 있는 특정 대상의 친구들을 부를 때에는 '얘들아'라고 써야 하고, 기억해야 하는 것을 기억하지 못할까 봐 걱정할 때에는 '잊다'를 써야 해요.

▶ 정답 및 해설 13쪽

● 다음 그림을 보고, 보기 에서 알맞은 내용을 두 가지 골라 빈칸에 써넣어 안내 문자 메시지를 완성하세요.

보기

이로 인해 오후 3시에 운동장에서 하기로 했던 피구 연습은 취소되었습니다.

이로 인해 오후 3시에 운동장에서 하기로 했던 옆 반과의 피구 시합은 취소되었습니다.

일기 예보에서 오후부터 비가 많이 내린다고 합니다.

TALK 100%

4학년 1반 친구들에게 알립니다.

착오 없으시기를 바랍니다.

먼저 원인에 해당하는 내용을 골라 써넣은 다음, 그로 인한 결과에 해당하는 내용을 골라 써넣어 보세요. 결과에 해당하는 내용 두 가지 중 어느 것을 써넣어도 모두 답이 될 수 있답니다.

2주 특강

생활 어휘 다음 만화를 보며 속담의 뜻을 알아보고, 상황에 맞게 속담을 써 보세요.

자라 보고 놀란 가슴 솥뚜껑 보고 놀란다

▶정답 및 해설 13쪽

속담의 뜻을 알아봐요!

자라 보고 놀란 가슴 솥뚜껑 보고 놀란다

이 속담은 "어떤 사물에 몹시 놀란 사람은 비슷한 사물만 보아도 겁을 낸다."라는 뜻이랍니다.

이제 이 속담을 넣어 상황에 맞게 써 볼까요?

"□□□□□□ □□□□□□□ □□□"더니 개 인형만 보고도 사나운 개인 줄 알고 깜짝 놀랐다.

◉ 기찬이가 미술 전시회장에 왔어요. 미술 작품을 모두 감상하고 출구로 나가려면 어떤 길로 가야 할지 알맞은 답을 찾아 따라 쓰며, 가는 길을 선으로 이어 보세요.

창의 2주에 나왔던 **낱말과 그 뜻**을 익히며 전시회장의 출구를 찾아 가 봅니다.

▶ 정답 및 해설 14쪽

◉ 달래와 밤톨이는 천재초등학교에서 연극을 관람하였어요. 공연이 시작된 시각을 보고 공연이 끝나는 시각을 그려 보세요.

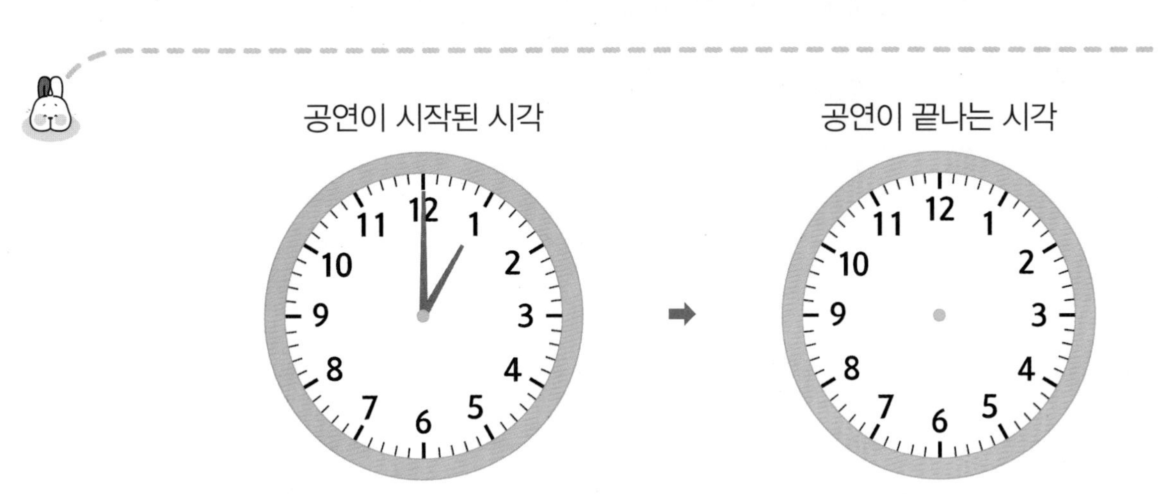

융합 국어+수학

연극 **관람 안내문**의 내용을 떠올려 보고, **시간을 더하는 방법**을 알아봅니다.

◎ 현솔이가 할머니와 함께 영화관에 가서 무인 자동 주문 기기를 이용해 영화표를 구매하고 있어요. 숨어 있는 그림 네 개를 모두 찾아 ○표를 하세요.

창의

무인 자동 주문 기기로 **영화표를 구매하는 방법을 쓴 안내문**의 내용을 떠올려 보고, **숨은그림찾기**를 해 봅니다.

▶정답 및 해설 14쪽

◉ 밤톨이가 안내 문자 메시지를 받고 변경된 모임 장소로 가려고 해요. 코딩 명령을 따라 도착한 장소에 ◯표를 하고, 안내 문자 메시지의 빈칸에 변경된 모임 장소를 쓰세요.

4학년 1반 친구들에게 알립니다. 모임 장소를 매표소 앞에서 [   ] 앞으로 변경합니다. 모두 착오 없으시기를 바랍니다.

코딩 **코딩 명령**을 따라 변경된 모임 장소를 찾아 가 보고, **안내 문자 메시지**의 내용을 완성해 봅니다.

2주 누구나 100점 테스트

1 **안내문에 대한 설명으로 알맞은 것을 골라 ○표를 하세요.**

(1) 어떤 문제에 대하여 다른 사람을 설득하기 위해 자신의 주장과 근거를 쓴 글 (　　　)

(2) 어떤 내용을 다른 사람에게 소개하고 알려 주기 위한 목적으로 쓰는 실용적인 글 (　　　)

[2~3] 다음 글을 읽고, 물음에 답하세요.

> 천재초등학교 학생들이 기부한 책들을 모아 판매하고, 그 수익금으로 불우 이웃을 도울 예정입니다.
> 많은 참여 부탁드립니다.

2 **어떤 행사에 대해 소개하고 알려 주는 안내문인가요?** (　　　)

① 운동회　② 학예회
③ 글짓기 대회　④ 도서 바자회
⑤ 독서 퀴즈 대회

3 **다음과 같은 뜻이 있는 낱말을 글에서 찾아 쓰세요.**

> 다른 사람이나 기관, 단체 등을 도울 목적으로 돈이나 재산을 대가 없이 내놓음.

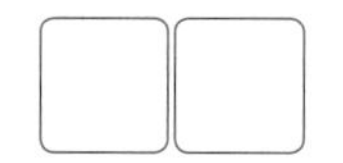

[4~5] 다음 글을 읽고, 물음에 답하세요.

> **천재초등학교 미술 전시회 관람 안내**
>
> • **관람 날짜와 관람 시간:** 20○○년 5월 8일 오전 10시 ~ 오후 6시
>
> • **관람 전에 알아 두어야 할 내용:** 각 반 담임 선생님께 받은 미술 전시회 초대장을 전시회장 입구에서 보여 주어야 입장할 수 있습니다.
>
> • **관람 시 주의해야 할 점:**

	㉠ 작품을 눈으로만 감상하고 손으로 만지지 말아 주십시요.
	전시회장에서 시끄럽게 떠들거나 뛰지 말아 주십시오.

4 **미술 전시회장에 입장하려면 무엇이 필요한지 골라 ○표를 하세요.**

(편지 , 초대장)

글쓰기

5 **문장 ㉠에서 밑줄 그은 부분을 바르게 고치고, 문장을 따라 쓰세요.**

	작	품	을	V	눈	으	로
만	V	감	상	하	고	V	손
으	로	V	만	지	지	V	말
아	V					.	

▶정답 및 해설 15쪽

[6~7] 다음 글을 읽고, 물음에 답하세요.

교실 안에서 공놀이를 하다가 공에 맞아 사람이 다치거나 창문이나 전등이 파손되는 사고가 발생할 수 있습니다.

교실 안에서는 공놀이를 ㉠삼가해 주시기 바랍니다.

6 어떤 행위를 하지 말라고 하였는지 골라 ○표를 하세요.

(1) 운동장에서 공놀이를 하는 것 (   )

(2) 교실 안에서 공놀이를 하는 것 (   )

7 ㉠을 바르게 고쳐 쓴 것은 무엇인가요? (   )

① 삼가 ② 삼가하여
③ 삼가하셔 ④ 삼가하시어
⑤ 삼갈수록

8 다음은 이용 방법 안내문을 쓰는 방법이에요. 알맞은 말을 골라 ○표를 하세요.

이용 방법을 (차례대로 , 생각나는 대로) 쓰고, 알려 주는 내용을 이해하기 쉽게 써야 한다.

[9~10] 다음 글을 읽고, 물음에 답하세요.

4학년 1반 친구들에게 알립니다.
학예회 연습 장소를 강당에서 4학년 1반 교실로 변경합니다. [㉠]

9 이 안내 문자 메시지에서 알려 주는 정보는 무엇인지 골라 ○표를 하세요.

(1) 모임 취소 (   )

(2) 모임 시각 변경 (   )

(3) 모임 장소 변경 (   )

글쓰기

10 [㉠] 안에 들어갈 문장을 보기 에서 골라 쓰세요.

보기
- 오후 2시까지 강당으로 와 주세요.
- 오후 2시까지 4학년 1반 교실로 와 주세요.

오후 2시까지

2주

3주 3주에는 무엇을 공부할까? ❶

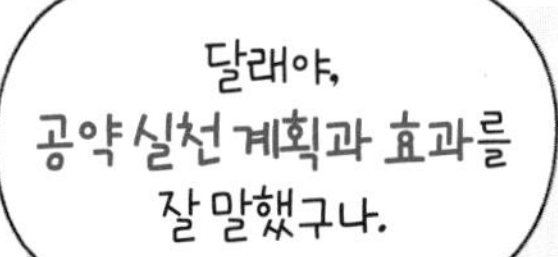

3
주

회장 선거 연설문을 써 보자!

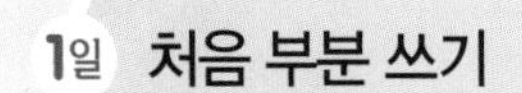

- 1일 처음 부분 쓰기
- 2일 공약 쓰기
- 3일 공약 실천 계획과 효과 쓰기
- 4일 끝부분 쓰기
- 5일 회장 선거 연설문 쓰기

3주 3주에는 무엇을 공부할까? ❷

1-1 회장 선거 연설문에 대한 설명으로 알맞지 않은 것을 골라 ×표를 하세요.

(1) 같은 학생들 앞에서 말하기 위한 글이므로 예사말로 쓴다. ( )

(2) 회장 선거에 나가 자신을 뽑아 달라고 연설하기 위한 글이다. ( )

(3) 처음 부분에는 자신이 누구인지 소개하고, 선거에 나온 마음가짐을 쓴다. ( )

1-2 다음 설명하는 글의 빈칸에 들어갈 알맞은 말을 보기 에서 골라 쓰세요.

회장 선거 연설문은 회장 선거에 나가 자신을 뽑아 달라고 ☐☐하기 위한 글이에요.

▶정답 및 해설 16쪽

2-1 회장 선거 연설문에서의 공약에 대하여 옳게 말한 친구에게 ○표를 하세요.

(1) (　　　　　　)　　(2) (　　　　　　)

2-2 다음은 회장 선거 연설문의 일부분이에요. 밑줄 그은 부분은 어떤 내용에 해당하는지 빈칸에 알맞은 말을 쓰세요.

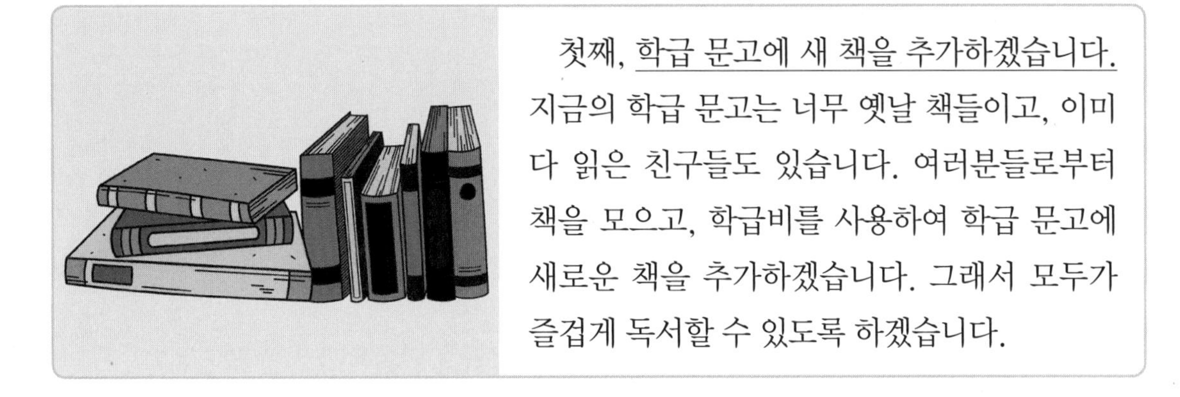

첫째, <u>학급 문고에 새 책을 추가하겠습니다.</u> 지금의 학급 문고는 너무 옛날 책들이고, 이미 다 읽은 친구들도 있습니다. 여러분들로부터 책을 모으고, 학급비를 사용하여 학급 문고에 새로운 책을 추가하겠습니다. 그래서 모두가 즐겁게 독서할 수 있도록 하겠습니다.

회장이 되면 앞으로 어떠한 일을 하겠다고 학생들에게
하는 약속인 ㄱ ㅇ 이에요.

1일 처음 부분 쓰기

회장 선거 연설문의 처음 부분을 써라!

회장 선거 연설문은 회장 선거에 나가 자신을 뽑아 달라고 연설하기 위한 글이에요.

처음 부분에는 자신이 누구인지 소개하고, 선거에 나온 마음가짐을 써요.

마음가짐은 어떠한 회장이 되어 학급을 어떻게 만들어 나가고 싶은지 쓰면 돼요.

연설은 여러 사람들 앞에서 자신의 생각을 말하는 것이므로 연설문은 높임말로 써야 해요.

▶정답 및 해설 16쪽

◉ 회장 선거 연설문의 처음 부분을 쓰는 방법에 맞게 빈칸에 알맞은 말을 쓰고, 퍼즐판에서 찾아 ◯표를 하세요.

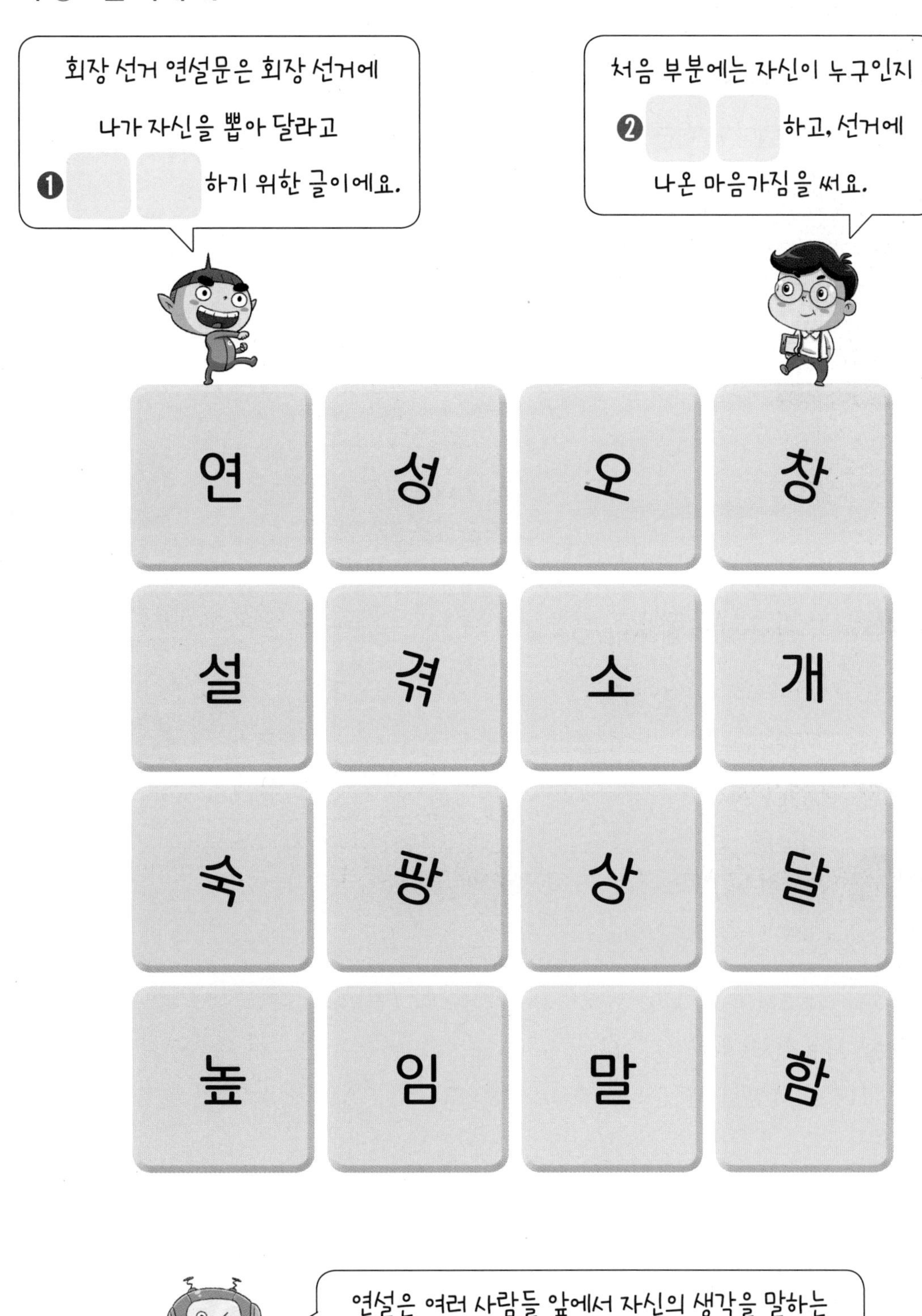

연설은 여러 사람들 앞에서 자신의 생각을 말하는 것이므로 연설문은 ❸ 로 써요.

1일 처음 부분 쓰기

● 다음 대화를 읽고, 학급 회장 선거 연설문의 처음 부분을 써 보세요.

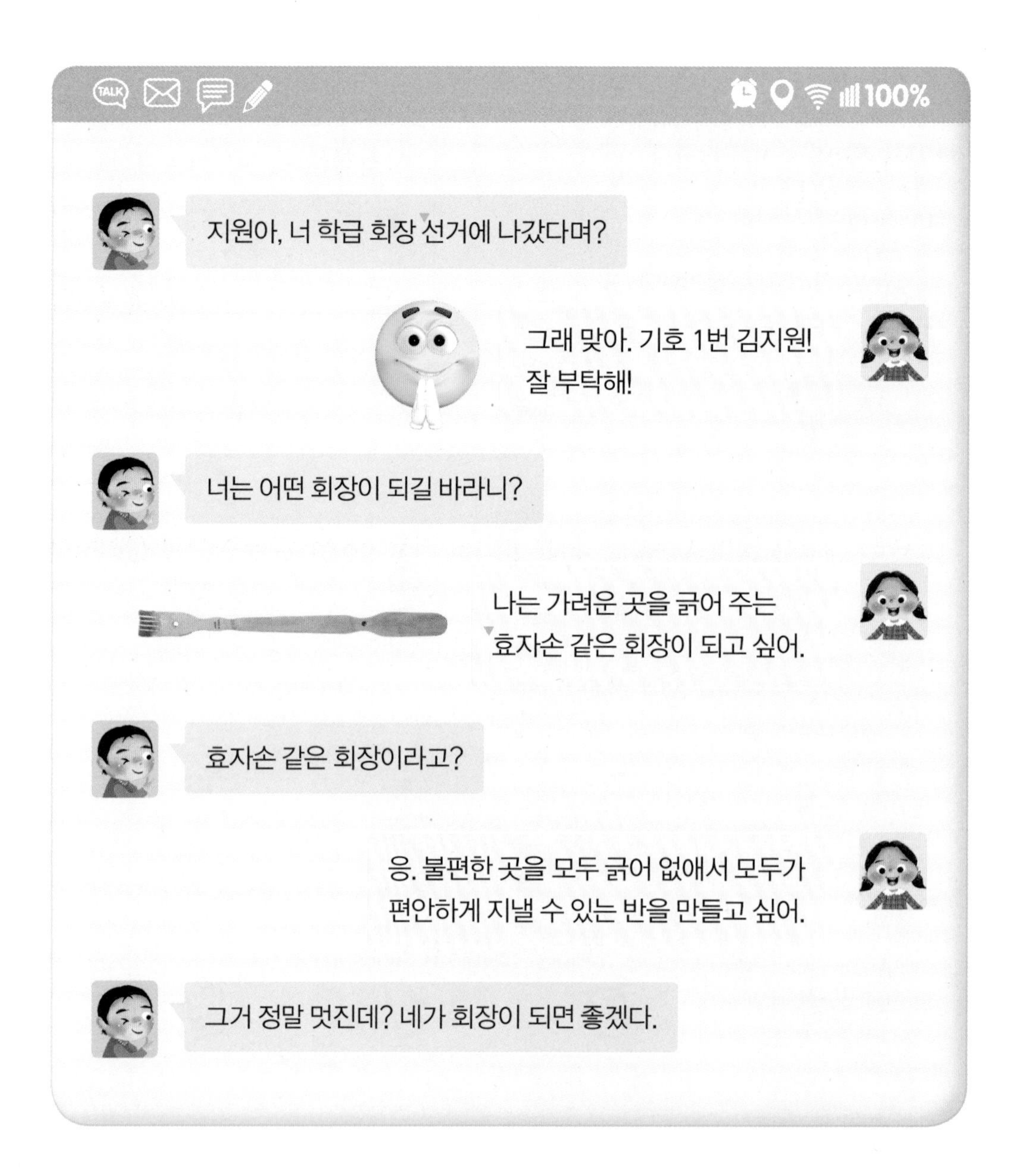

어휘 풀이

- **선거**| 가릴 선 選, 들 거 擧| 일정한 조직이나 집단이 대표자나 임원을 뽑는 일.
  ㊀ 학급 회장 선거에 나갈 사람으로 친구들이 나를 추천했다.
- **효자**| 효도 효 孝, 아들 자 子|**손** 대나무의 끝을 손가락처럼 구부리어 손이 미치지 않는 곳을 긁도록 만든 물건. ㊀ 할아버지께서 효자손으로 등을 긁으셨다.

▶정답 및 해설 16쪽

낱말 쓰기

1 단계 다음 지원이의 말을 잘 읽고, 빈칸에 알맞은 낱말을 각각 쓰세요.

(1) 제가 이 자리에 선 이유는 가려운 곳을 긁어 주는 ㅎ ㅈ ㅅ 같은 회장이 되고 싶어서입니다.

(2) 여러분의 불편한 곳을 모두 긁어 없애 ㅍ ㅇ ㅎ ㄱ 지낼 수 있는 반을 만들고 싶습니다.

문장 쓰기

2 단계 1에서 쓴 내용을 넣어 지원이가 선거에 나온 마음가짐을 두 문장으로 정리하여 쓰세요.

❶ 제가 이 자리에 선 이유는 가려운 곳을 긁어 주는 ＿＿＿＿ 되고 싶어서입니다.

❷ 여러분의 불편한 곳을 모두 긁어 없애 ＿＿＿＿ ＿＿＿＿ 을 만들고 싶습니다.

한 편 쓰기

3 단계 2에서 쓴 내용을 넣어 지원이의 학급 회장 선거 연설문의 처음 부분을 완성해 보세요.

안녕하세요. 저는 기호 1번 김지원입니다. ❶ ＿＿＿＿＿＿＿＿＿＿ 되고 싶어서입니다. ❷ ＿＿＿＿＿＿＿＿＿＿ 을 만들고 싶습니다.

▶정답 및 해설 16쪽

1 낱말 고쳐쓰기

두 낱말의 뜻과 예를 보고, 문장의 밑줄 그은 낱말을 각각 바르게 고쳐 쓰세요.

바라다	생각이나 바람대로 어떤 일이나 상태가 이루어지거나 그렇게 되었으면 하고 생각하다. 예 소원이 이루어지기를 바라다.
바래다	볕이나 습기 때문에 색이 희미해지거나 누렇게 변하다. 예 색이 누렇게 바래다.

(1) 지원이는 회장이 되기를 바랬다.

바 랬 다 → □□□

(2) 사진이 오래되어 색이 바랐다.

바 랐 다 → □□□

2 문장 고쳐쓰기

다음 밑줄 그은 부분을 바르게 고치고, 문장을 따라 쓰세요.

			V	회	장	이	V	되	면	V	좋
겠	다	.									

힌트 '너' 다음에 '-가'가 붙을 때에는 '너가'라고 쓰지 않고 '네가'라고 써야 해요.

▶정답 및 해설 16쪽

● 다음 친구가 쓴 글 과 같은 형식으로 학급 회장 선거 연설문의 처음 부분을 써 보세요.

친구가 쓴 글

안녕하세요. 저는 기호 5번 정여진이라고 합니다. 제가 이 자리에 선 이유는 신데렐라 속 요술 할머니처럼 여러분께 도움을 드릴 수 있는 회장이 되고 싶어서입니다. 저는 성격이 매우 꼼꼼해서 작은 것도 잘 놓치지 않습니다. 이러한 저의 꼼꼼함으로 여러분이 바라는 것을 쏙쏙 잡아내어 웃음 가득한 우리 반을 만들고 싶습니다.

안녕하세요. 저는 기호 1번 ______________(이)라고 합니다. 제가 이 자리에 선 이유는 ____ ____ 회장이 되고 싶어서입니다. ____ ____ 우리 반을 만들고 싶습니다.

자기가 누구인지 소개하고, 어떠한 회장이 되고 싶은지 그리고 회장이 되어 학급을 어떻게 만들어 나가고 싶은지 회장 선거에 나온 마음가짐을 써 보아요.

2일 공약 쓰기

도움이 되고 실천 가능한 공약을 써라!

회장 선거 연설문에서의 공약은

회장이 되면 앞으로 어떠한 일을 하겠다고 학생들에게 하는 약속이에요.

자신이 원하는 학급의 모습을 만들려면 무엇을 해야 할지 생각해 보고,

학생들에게 도움이 되면서 실천할 수 있는 공약을 써 보아요.

▶정답 및 해설 17쪽

- 그림에 맞는 퍼즐 모양을 찾아 선으로 잇고, 회장 선거 연설문에 들어갈 공약을 쓰는 방법을 알아보아요.

도움

회장 선거 연설문에 들어갈 공약을 쓰는 방법을 생각하며 문장을 따라 쓰세요.

	첫	째	,	반	에	V	축	구	공	과	V
피	구	V	공	을	V	갖	추	어	V	놓	겠
습	니	다	.								

2일 공약 쓰기

◉ 다음 만화를 읽고, 준서의 학급 회장 선거 공약을 쓰세요.

어휘 풀이

▼**포스터** 일정한 내용을 상징적인 그림과 간단한 글로 나타내어 사람들의 눈에 많이 띄는 곳에 붙이는 광고물. 예 벽에 책 광고 포스터가 붙어 있다.

▼**건의**| 세울 건 建, 의논할 의 議 | 어떤 문제에 대하여 의견이나 바라는 사항을 제시함. 또는 그 의견이나 바라는 사항. 예 제품에 대한 건의가 있으면 적어 주세요.

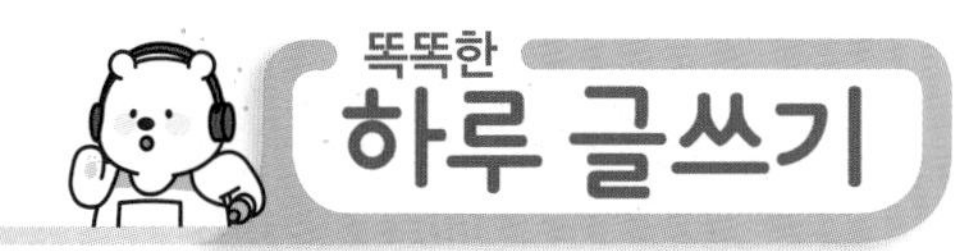

▶정답 및 해설 17쪽

낱말 쓰기

다음 그림을 보고, 준서의 회장 선거 공약은 무엇일지 빈칸에 알맞은 말을 쓰세요.

(1) 반에 바라는 것을 말할 수 있는 ㄱ ㅇ ㅎ 을 만들겠습니다.

(2) 학급 ㄷ ㅅ 를 빌릴 수 있도록 하겠습니다.

문장 쓰기

1의 내용을 넣어 준서의 학급 회장 선거 공약을 두 문장으로 정리해 보세요.

❶ 반에 바라는 것을 말할 수 있는 ______ ______ .

❷ ______ 수 있도록 하겠습니다.

한 편 쓰기

2에서 쓴 내용을 넣어 준서의 학급 회장 선거 공약을 완성해 보세요.

첫째, 반에 축구공과 피구 공을 갖추어 놓겠습니다.

둘째, ❶ ______

셋째, ❷ ______

3주

▶정답 및 해설 17쪽

1 낱말 고쳐쓰기

다음 문장의 밑줄 그은 말을 한 낱말로 바꿔 쓰려고 해요. 알맞은 낱말을 보기 에서 골라 쓰세요.

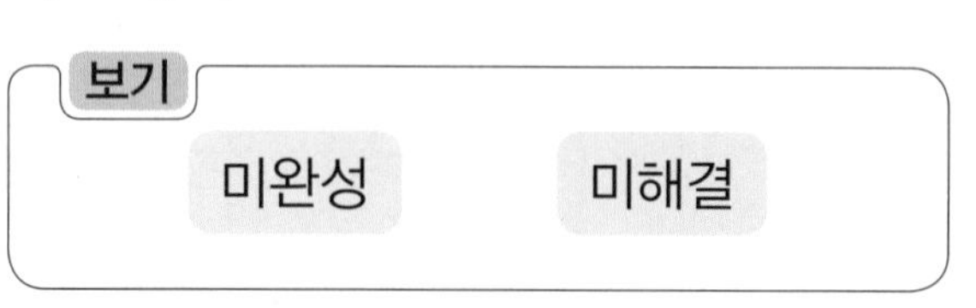

보기: 미완성 미해결

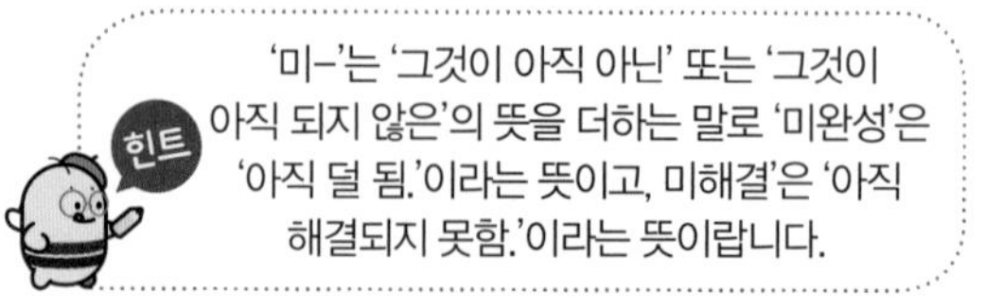

힌트 '미-'는 '그것이 아직 아닌' 또는 '그것이 아직 되지 않은'의 뜻을 더하는 말로 '미완성'은 '아직 덜 됨.'이라는 뜻이고, 미해결'은 '아직 해결되지 못함.'이라는 뜻이랍니다.

선거 포스터는 아직 다 완성되지 않았어.

→ 선거 포스터는 아직 ☐☐☐ 이야.

2 문장 고쳐쓰기

다음 내용처럼 두 문장을 하나로 합쳐서 한 문장으로 만들고, 문장을 따라 쓰세요.

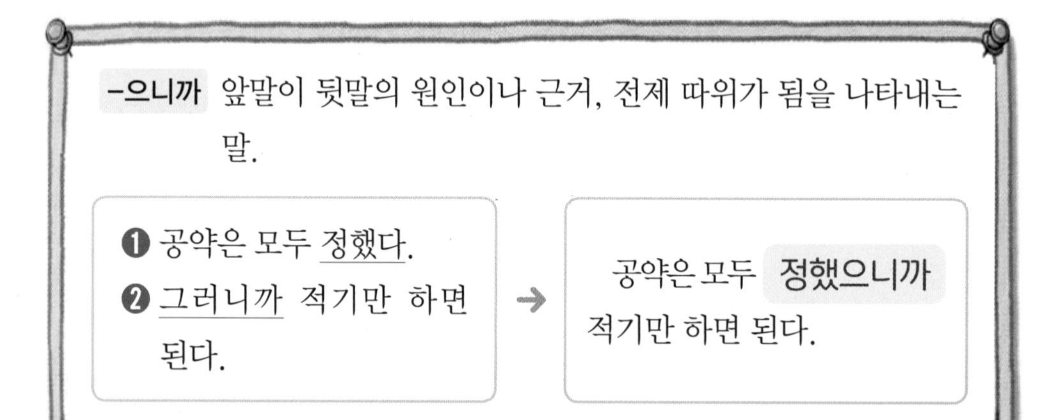

-으니까 앞말이 뒷말의 원인이나 근거, 전제 따위가 됨을 나타내는 말.

❶ 공약은 모두 정했다.
❷ 그러니까 적기만 하면 된다.

→ 공약은 모두 정했으니까 적기만 하면 된다.

❶ 내일 일찍 일어나기로 했다.
❷ 그러니까 어서 자자.

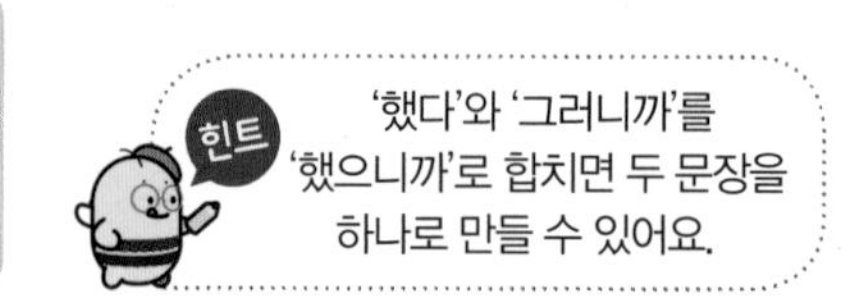

힌트 '했다'와 '그러니까'를 '했으니까'로 합치면 두 문장을 하나로 만들 수 있어요.

↓

	내	일	V	일	찍	V	일	어	나	기	로	V
				V	어	서	V	자	자	.		

▶정답 및 해설 17쪽

빈칸에 들어갈 알맞은 공약을 보기 에서 두 가지 골라 학급 회장 선거 공약을 완성하세요.

보기

- 우리 반만의 동영상 게시판을 만들겠습니다.
- 우리 반 교실 책상을 모두 새것으로 바꾸겠습니다.
- 영화를 보고 감상을 나누는 영화의 날을 만들겠습니다.

재미있는 우리 반을 만들기 위해서 두 가지 공약을 준비했습니다.

첫째, ❶ ____________________

게시판을 만들어 여러분이 자유롭게 동영상을 만들어 나눌 수 있도록 하겠습니다. 동영상을 통해 친구들과 소통하며 즐거운 학교생활을 보낼 수 있을 것입니다.

둘째, ❷ ____________________

____________ 한 달에 한 번 선생님께 말씀드려 날을 정하겠습니다. 영화를 보고 감상을 나누며 친구들과 재미있는 시간을 보낼 수 있을 것입니다.

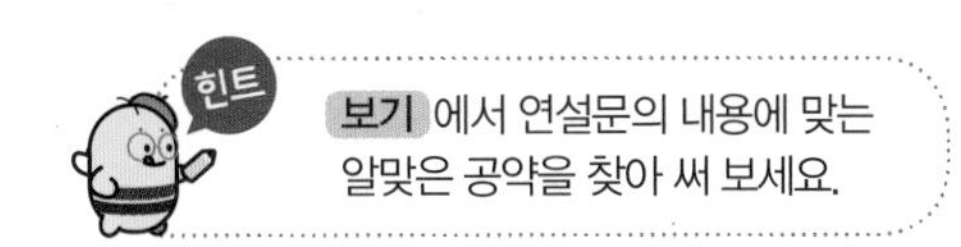

3일 공약 실천 계획과 효과 쓰기

공약에 대한 실천 계획과 효과를 써라!

회장 선거 연설문을 쓸 때에는 공약에 대한 자세한 내용을 설명해요.
공약을 어떻게 이룰 것인지 구체적인 계획이나
공약이 학생들과 학급에 어떠한 도움이 될 수 있는지 그 효과를 써 보아요.
표와 사진 같은 자료를 사용해 더 효과적으로 나타낼 수도 있어요.

똑똑한 하루 글쓰기 미리 보기

▶정답 및 해설 18쪽

사다리 타기를 하여 도착한 곳의 낱말을 따라 쓰며, 공약 실천 계획과 효과를 쓰는 방법을 알아보아요.

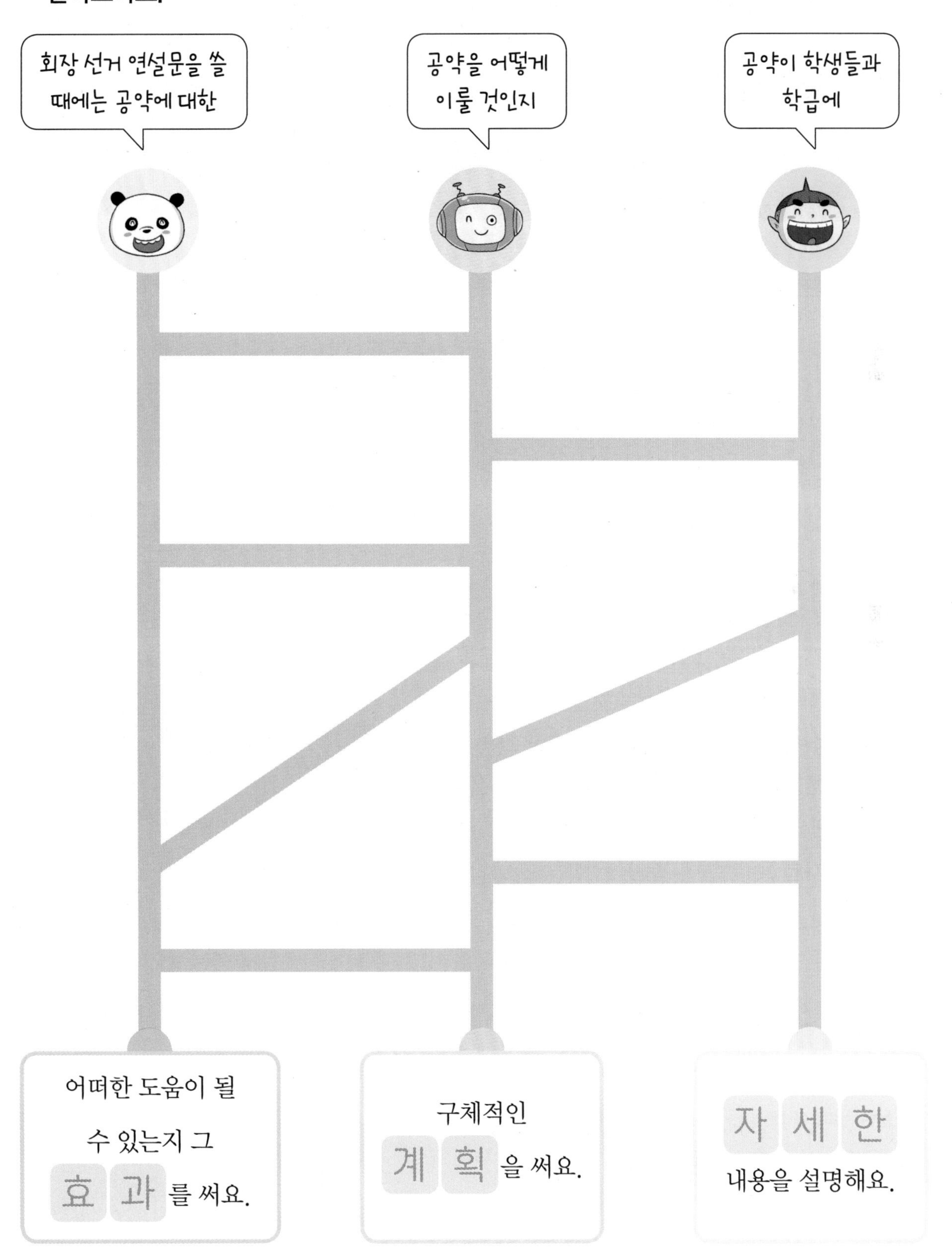

3일 공약 실천 계획과 효과 쓰기

◎ 다음 수아가 정리한 내용을 읽고, 학급 회장 선거 연설문에 들어갈 공약에 대한 실천 계획과 효과를 써 보세요.

공약 교실에 여러 장난감을 갖추어 두겠습니다.

▼실천 계획: 블록, 보드게임과 같은 장난감을 학생들이 쓰지 않는 것을 모으든지 ▼학급비를 사용하든지 해서 마련할 것임.

실천 효과: 친구들과 신나는 점심시간을 보낼 수 있을 것임.

사용 자료: 친구들이 즐길 수 있는 장난감 사진.

어휘 풀이

▼ **실천** | 열매 실 實, 밟을 천 踐 | 생각한 바를 실제로 행함. ㉠ 말만 하지 말고 실천을 해라.

▼ **학급비** | 배울 학 學, 등급 급 級, 쓸 비 費 | 학급 운영에 필요로 하는 비용. 주로 환경 미화, 학급 문고의 구입, 학급 신문의 비용 따위로 쓴다. ㉠ 학급비로 학급 문집을 만들었다.

▶정답 및 해설 18쪽

낱말 쓰기

다음 사진을 보고, 빈칸에 들어갈 알맞은 낱말을 보기 에서 골라 쓰세요.

보기

장난감	문제집
지루한	신나는

(1) 블록, 보드게임과 같은 ☐☐☐을 여러분이 쓰지 않는 것을 모으든지 학급비를 사용하든지 해서 마련하겠습니다.

(2) 친구들과 ☐☐☐ 점심시간을 보낼 수 있을 것입니다.

문장 쓰기

1에서 쓴 내용을 두 문장으로 정리하여 쓰세요.

❶ 블록, 보드게임과 같은 ☐☐☐☐☐☐ 여러분이 ☐☐☐☐ 모으든지 학급비를 사용하든지 해서 마련하겠습니다.

❷ ☐☐☐☐☐☐☐☐☐☐☐ 을 보낼 수 있을 것입니다.

한 편 쓰기

2에서 쓴 내용을 넣어 연설문에 들어갈 공약에 대한 실천 계획과 효과를 쓰세요.

교실에 여러 장난감을 갖추어 두겠습니다. ❶ ____________________

____

______________________________ ❷ __________

____

▶ 정답 및 해설 18쪽

1 낱말 고쳐쓰기

다음 밑줄 그은 말 대신 바꿔 쓰기에 알맞은 낱말을 보기 에서 골라 바꿔 써 보세요.

보기

- 비치하겠습니다: 마련하여 갖추어 두겠습니다.
- 유치하겠습니다: 행사나 사업 따위를 이끌어 들이겠습니다.

교실에 여러 장난감을 갖추어 두겠습니다.

↓

교실에 여러 장난감을 ☐☐ 하겠습니다.

2 문장 고쳐쓰기

친구가 고쳐 쓴 문장 과 같이 알맞은 말을 넣어 문장을 고치고, 따라 쓰세요.

친구가 고쳐 쓴 문장

장난감을 학생들이 쓰지 않는 것을 모으던지 학급비를 사용하던지 해서 마련하겠습니다.

↓

장난감을 학생들이 쓰지 않는 것을 모으든지 학급비를 사용하든지 해서 마련하겠습니다.

힌트 '-든지'는 '나열된 동작이나 상태, 대상들 중에서 어느 것이든 선택될 수 있음.'을 뜻하는 말이에요.

점심시간에 함께 블록을 가지고 놀던지 보드게임을 하던지 하자.

	점	심	시	간	에	V	함	께	V	블	록
을	V	가	지	고	V				V	보	드
게	임	을	V				V	하	자	.	

▶정답 및 해설 18쪽

● 다음 만화를 읽고, 공약에 대한 실천 계획과 효과를 각각 쓰세요.

제가 회장이 된다면 먼저 마니토 활동을 하겠습니다. 마니토 활동은 제비뽑기로 짝을 정해 몰래 선물이나 편지를 주는 활동입니다. 짝을 정해서 ❶ ______________________________ 을 가지겠습니다.

한 반이 된 지 얼마 되지 않아서 아직 친구들과 ❷ ______________________________ 수 있을 것입니다.

만화에서 두 친구의 대화를 잘 읽고, 공약을 어떻게 이루어 나갈지 그리고 공약이 친구들에게 어떤 도움을 줄 수 있을지 공약에 대한 실천 계획과 효과를 써 보아요.

끝부분 쓰기

회장 선거 연설문의 끝부분을 써라!

회장 선거 연설문의 끝부분에는 앞의 내용들을 강조하며 자신의 각오를 써요.
회장 선거에 나온 마음가짐과 자신의 공약이 잘 드러나도록 끝부분을 써 보세요.
다시 한번 자신의 이름과 기호를 소개하며 뽑아 줄 것을 부탁하는 것도 좋아요.
흉내 내는 말이나 삼행시와 같이 기억에 남을 법한 표현들을 사용해도 좋답니다.

똑똑한 하루 글쓰기 미리 보기

▶정답 및 해설 19쪽

회장 선거 연설문의 끝부분을 쓰는 방법에 맞게 빈칸에 알맞은 말을 쓰고, 퍼즐판에서 찾아 ○표를 하세요.

3주

4일 끝부분 쓰기

● 다음 학급 회장 선거 연설문을 읽고, 연설문의 끝부분을 바꿔 써 보세요.

처음 부분

안녕하세요. 저는 기호 3번 유민수입니다. 저는 요술 램프의 지니처럼 여러분을 도와 행복이 가득한 반을 만들고 싶어 이 자리에 섰습니다.

공약 및 공약 실천 계획과 효과

행복한 반을 만들기 위해서 두 가지 약속을 준비했습니다.

첫째, 여러분들의 고민을 나눌 수 있는 고민 게시판을 만들겠습니다. 조사 결과 우리 반 친구 25명 중 20명이 고민이 있다고 합니다. 고민 게시판을 통해 친구들과 고민을 나누고 해결해 나갈 수 있을 것입니다. 고민 게시판에서 질문과 답변이 기분 좋게 오갈 수 있도록 관리하고 저도 열심히 답을 달겠습니다.

둘째, 빌릴 수 있는 학급 우산을 마련하겠습니다. 교실에 우산을 여러 개 마련하여 비 오는 날 우산을 가져오지 않은 친구들이 곤란하지 않도록 하겠습니다. 비 내리는 날 우산이 없어 걱정하는 일을 학급 우산 마련으로 없애겠습니다.

끝부분

여러분, 고민을 말할 곳이 필요하신가요? 우산은 어떠세요? 모두 필요하시다면 저 기호 3번 유민수를 뽑아 주시길 바랍니다. 감사합니다.

어휘 풀이

▼ **게시판**| 들 게 揭, 보일 시 示, 널빤지 판 板 | 인터넷상에서 여러 사람에게 알리는 글을 볼 수 있으면서, 자신의 글을 올릴 수도 있는 공간. 예 게시판에 사진을 올렸다.

▼ **곤란**| 괴로울 곤 困, 어려울 난 難 | 사정이 몹시 딱하고 어려움. 또는 그런 일.
예 어떠한 상황에도 곤란해지지 않도록 대비를 확실하게 해라.

▶정답 및 해설 19쪽

낱말 쓰기

1 단계

다음은 민수의 학급 회장 선거 연설문의 처음 부분과 공약을 정리한 것이에요. 그림을 보고, 빈칸에 알맞은 말을 쓰세요.

(1) 요술 램프의 지니처럼 학생들을 도와 [ㅎ][ㅂ]이 가득한 반을 만들겠습니다.

(2) 이를 위해 고민을 나눌 수 있는 고민 게시판을 만들고, 비 오는 날 빌릴 수 있는 학급 [ㅇ][ㅅ]을 마련하겠습니다.

문장 쓰기

1에서 정리한 내용과 어울리도록 민수의 학급 회장 선거 연설문의 끝부분에 들어갈 말을 보기 에서 골라 쓰세요.

보기

행복의 마법을 부리겠습니다 　 위험한 모험을 선물하겠습니다

고민은 가볍게 편안함은 가득하게, 제가 지니가 되어 뻥뻥 ________________.

한 편 쓰기

2에서 쓴 내용을 넣어 민수의 학급 회장 선거 연설문의 끝부분을 쓰세요.

기호 3번 유민수를 기억해 주세요. 감사합니다.

3주

4일 똑똑한 하루 글쓰기 고쳐쓰기

▶정답 및 해설 19쪽

1 낱말 고쳐쓰기

다음 밑줄 그은 낱말 대신 바꿔 쓰기에 알맞은 낱말을 보기 에서 골라 써 보세요.

보기

염려 앞일에 대하여 여러 가지로 마음을 써서 걱정함. 또는 그런 걱정.

근심 해결되지 않은 일 때문에 속을 태우거나 우울해함.

힌트 어떤 낱말을 골라 써도 모두 답이 될 수 있어요. 마음에 드는 낱말을 골라 바꿔 써 보세요.

비 내리는 날 우산이 없어 걱정하는 일을 학급 우산 마련으로 없애겠습니다.

➔ 비 내리는 날 우산이 없어 [ ][ ]하는 일을 학급 우산 마련으로 없애겠습니다.

2 문장 고쳐쓰기

다음 친구가 고쳐 쓴 문장 과 같이 알맞은 말을 넣어 문장을 고치고 따라 쓰세요.

친구가 고쳐 쓴 문장

연필이 닳토록 공부했다.

연필이 닳도록 공부했다.

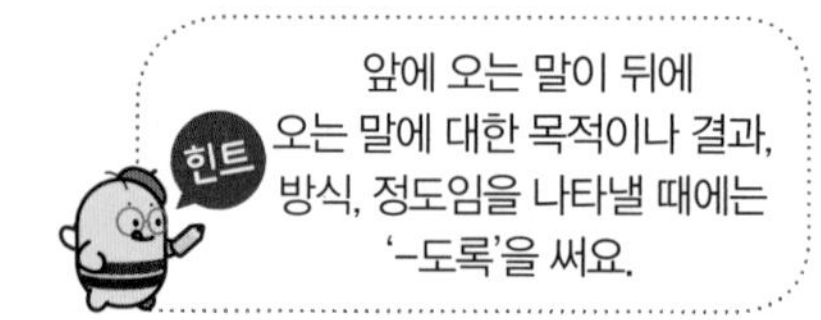

	친	구	들	이	V	곤	란	하	지	V	않
토	록	V	하	겠	습	니	다	.			

↓

	친	구	들	이	V	곤	란	하	지	V	
		V	하	겠	습	니	다	.			

▶정답 및 해설 19쪽

● 다음 그림을 보고, 보기 에서 알맞은 내용을 골라 학급 회장 선거 연설문의 끝부분을 써 보세요.

보기

서로 나누고, 서로 아끼고, 서로 사랑할 수 있는 우리 반을 만들겠습니다.

추억 가득한 학급 문집, 칭찬을 나누는 쪽지함, 함께 쓰는 필기도구 모두를 드리겠습니다.

어떤 것을 골라도 답이 될 수 있어요. 연설문의 끝부분에 어떠한 내용이 들어가는지 생각해 보며 마음에 드는 것을 골라 써 보아요.

사랑이 넘치는 회장, 기호 1번 김준아를 뽑아 주시길 부탁드립니다. 감사합니다.

5일 회장 선거 연설문 쓰기

회장 선거 연설문을 써라!

회장 선거 연설문을 쓸 때에는

처음 부분에 자신을 소개하고 선거에 나온 마음가짐을 써야 해요.

그런 다음 공약을 쓰고 공약 실천 계획과 효과를 써요.

끝부분에서는 앞의 내용들을 강조하며 각오를 쓰고, 자신을 뽑아 줄 것을 부탁해요.

▶정답 및 해설 20쪽

◉ 사다리 타기를 하여 도착한 곳의 낱말을 따라 쓰며, 학급 회장 선거 연설문을 쓰는 방법을 알아보아요.

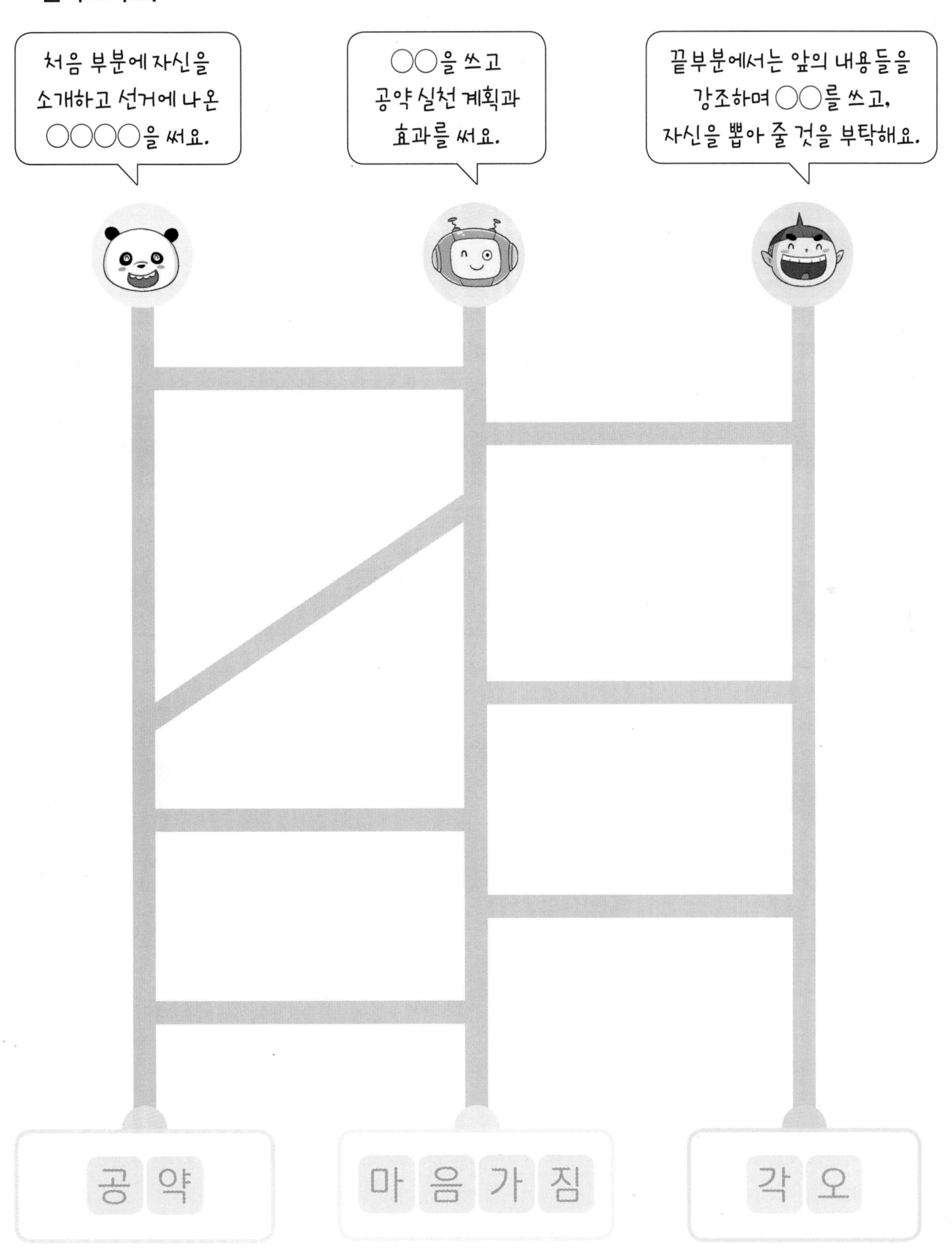

5일 회장 선거 연설문 쓰기

◎ 다음 만화를 읽고, 회장 선거 연설문을 써 보세요.

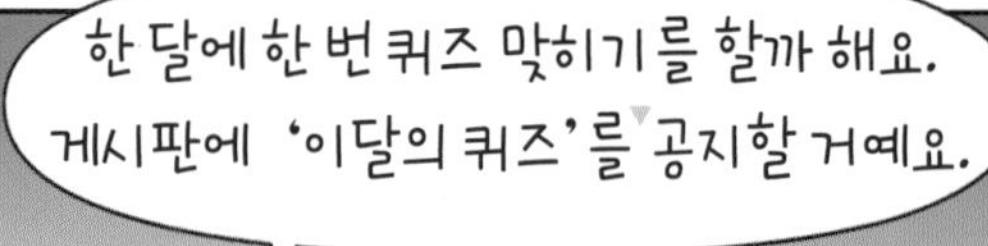

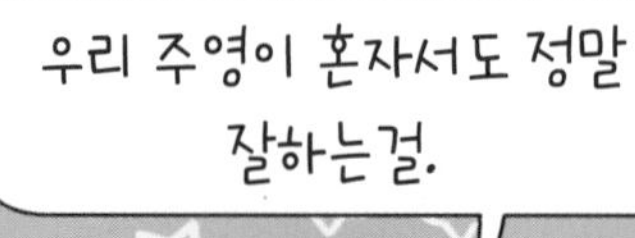

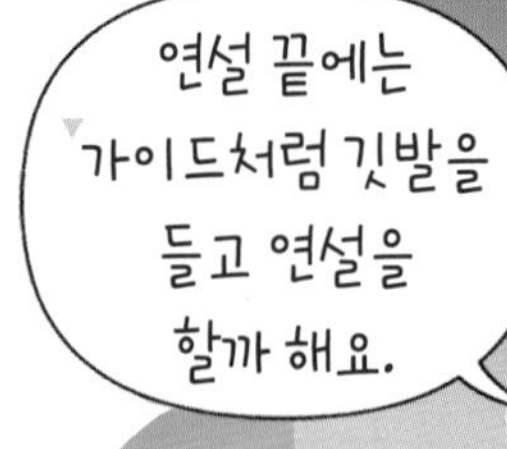

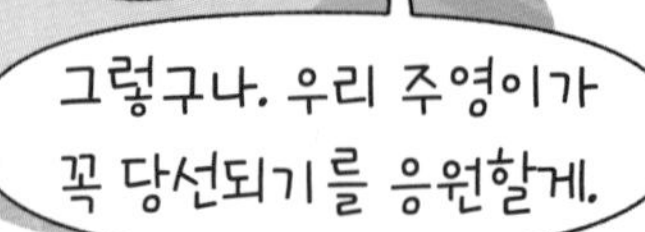

어휘 풀이

- **공지** | 공변될 **공** 公, 알 **지** 知 | 세상에 널리 알림. ㉠ 소풍 일정이 미뤄져서 게시판에 공지하였다.
- **가이드** 관광 따위를 안내하는 사람. ㉠ 가이드의 안내에 따라 유명 관광지를 관람했다.

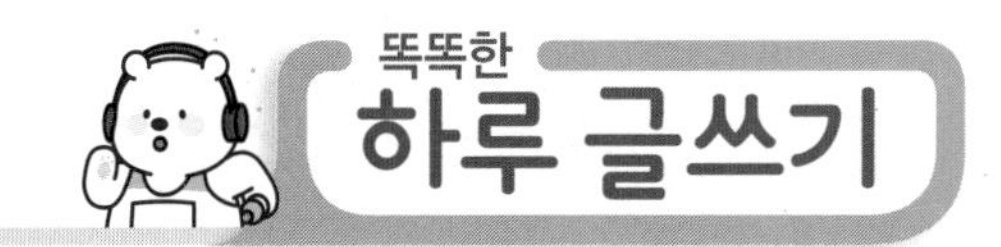

▶ 정답 및 해설 20쪽

낱말 쓰기

1단계 다음 그림을 보고, 주영이의 회장 선거 연설문의 처음 부분을 써 보세요.

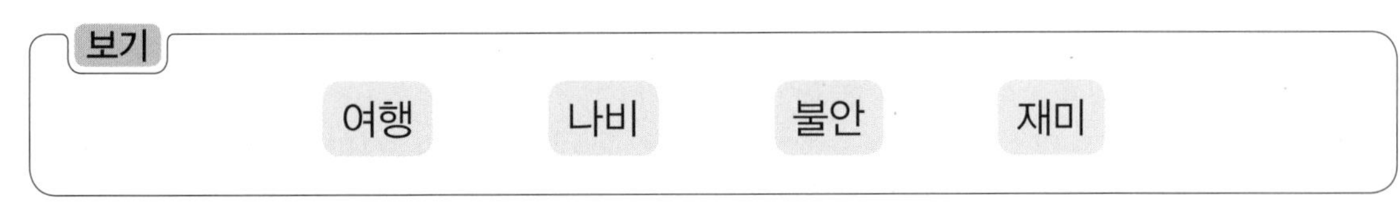

안녕하세요. 기호 5번 한주영입니다. 저는 [ ][ ]처럼 즐거움을 주는 회장이 되어 모두가 [ ][ ]있게 다닐 수 있는 학교를 만들고 싶습니다.

문장 쓰기

2단계 다음 그림을 보고, 빈칸에 알맞은 말을 넣어 주영이의 공약을 완성해 보세요.

회장이 되면

_______________________ 를 하겠습니다. 게시판에 '이달의 퀴즈'를 공지하고 맞힌 친구들에게는 작은 간식을 드리겠습니다. 학교생활에 작은 즐거움이 될 것입니다.

한 편 쓰기

3단계 회장 선거 연설문의 끝부분으로 알맞은 내용을 보기 에서 골라 쓰세요.

보기

가이드가 되어 여러분의 학교생활을 여행처럼 즐겁게 이끌겠습니다.

여러분께 즐거움이 가득한 여행을 선물하기 위해 열심히 뛰겠습니다.

____

_______________________________________ 여행처럼 즐거움을 줄 회장, 저 기호 5번 한주영을 기억해 주세요. 감사합니다.

3주

5일 똑똑한 **하루 글쓰기** 고쳐쓰기

▶정답 및 해설 20쪽

1 낱말 고쳐쓰기

두 낱말의 뜻을 보고, 문장의 밑줄 그은 낱말을 각각 바르게 고쳐 쓰세요.

당선되다	선거에서 뽑히게 되다.
당첨되다	추첨에서 뽑히다.

(1) 선거에서 회장으로 <u>당첨되었다</u>.

당 첨 되 었 다

↓

□□□□□

(2) 응모한 여행권에 <u>당선되었다</u>.

당 선 되 었 다

↓

□□□□□

2 문장 고쳐쓰기

밑줄 그은 부분을 바르게 고치고, 문장을 따라 쓰세요.

힌트 '-려구'는 '-려고'의 잘못된 표현이에요.

	퀴	즈	를	V	맞	힌	V	친	구	들	에
게	는	V	작	은	V	간	식	을	V		
		.									

▶정답 및 해설 20쪽

● 자신이 학급 회장 선거에 나갔다고 생각하고, 회장 선거 연설문을 써 보세요.

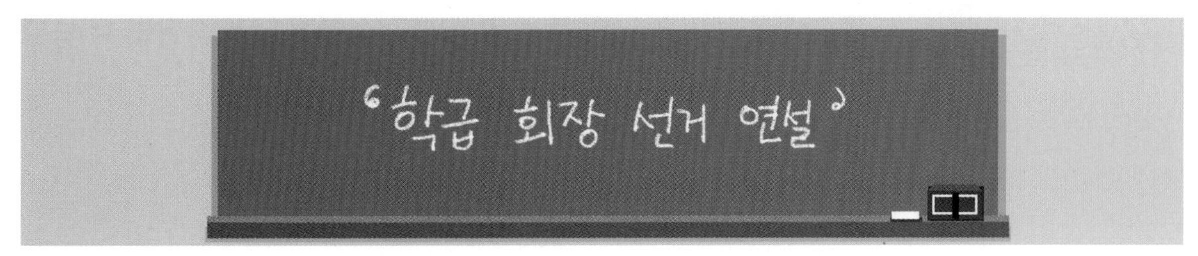

처음 부분	
공약	
공약 실천 계획과 효과	
끝부분	

회장 선거 연설문에 들어가는 내용들을 생각해 보며 학급 회장 선거 연설문을 써 보아요. 처음 부분에 자신이 누구인지와 선거에 나온 마음가짐을 쓴 다음, 공약과 공약에 대한 실천 계획과 효과를 써요. 그리고 앞의 내용을 강조하며 자신의 각오를 넣어 끝부분을 써 보아요.

3주 특강

생활 어휘 다음 만화를 보며 속담의 뜻을 알아보고, 상황에 맞게 속담을 써 보세요.

겨울이 지나지 않고 봄이 오랴

▶정답 및 해설 21쪽

겨울이 지나지 않고
어찌 봄이 오겠느냐?
맞아. 어려움을
이겨 내야 좋은 결과를
얻을 수 있는
거라고.
그런
건가요?
그래! 조금만 더 견디렴. 그럼
한 달 남은 천하제일 무술 대회에서
우승할 수 있게 만들어 주마.

속담의 뜻을 알아봐요!
겨울이 지나지 않고 봄이 오랴
이 속담은 "시련과 곤란을 극복하여야 승리와
성과를 얻을 수 있다."라는 뜻이랍니다.
이제 이 속담을 넣어 상황에 맞게 써 볼까요?
열심히
공부해서 좋은
점수를 받아야지.
"
"라
고 했으니 지금 힘들어도 열심히 공부하면
시험에서 좋은 점수를 받을 수 있을 거야.

◎ 오늘은 지원이가 반 친구들 앞에서 학급 회장 선거 연설을 하는 날이에요. 뜻에 알맞은 낱말을 찾아 따라 쓰며 학교에 가는 길을 선으로 이어 보세요.

창의 3주에 나왔던 **낱말과 그 뜻**을 익히며 학교까지 가는 길을 찾아봅니다.

▶정답 및 해설 21쪽

◉ 회장 선거 연설을 들은 친구들이 투표를 하려고 해요. 선거를 할 때 지켜야 할 네 가지 원칙을 알아보고, 원칙이 지켜지지 않은 상황 두 곳에 ×표를 하세요.

- 누구나 똑같은 가치의 표를 투표해야 해요.
- 누구에게 투표하는지 알 수 없게 해야 해요.
- 다른 사람이 아닌 내가 직접 투표를 해야 해요.
- 일정한 나이가 되면 누구나 투표를 할 수 있어야 해요. 외모나 성별 등의 이유로 투표를 못하게 하면 안 돼요.

( )

( )

( )

( )

융합 국어+사회 **선거의 네 가지 원칙**을 알아보고, 선거의 원칙이 지켜지지 않은 상황을 찾아봅니다.

◉ 학급 회장 선거에서 회장으로 당선된 준서가 공약을 모두 지켰다고 해요. 두 그림에서 다른 부분을 네 군데 찾아 ◯표를 하세요.

공약을 지키기 전

공약을 지킨 후

창의

공약을 쓰는 방법을 생각해 보며 **그림에서 다른 부분**을 모두 찾아봅니다.

▶정답 및 해설 21쪽

● 다음 코딩 카드에 따라 움직이며 어려움을 겪는 친구들을 만나 보세요. 그리고 그 친구들의 어려움을 해결해 줄 수 있는 알맞은 말에 ○표를 하여 공약을 완성하세요.

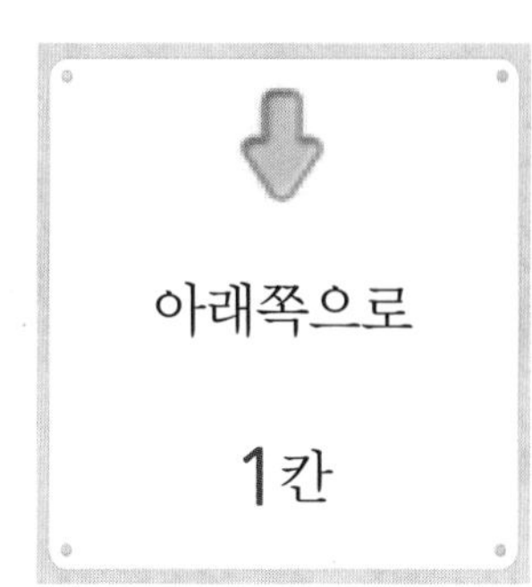

첫째, 학급 문고의 (책 , 휴일)을 늘려 다양한 책을 읽을 수 있도록 하겠습니다.
둘째, 교실에 (편지함 , 축구공)을 마련하도록 하겠습니다.

코딩 **코딩 명령**에 따라 이동하며 **친구들에게 도움을 줄 수 있는 공약**을 알아봅니다.

3주 누구나 100점 테스트

1 **회장 선거 연설문에 대하여 알맞게 말한 친구를 고르세요.**

> **경준:** 회장 선거에 나가 자신을 뽑아 달라고 연설하기 위한 글이야.
> **수영:** 회장 선거 연설문의 처음 부분에는 공약이 들어가야 해.

(　　　　　　)

2 **연설문의 처음 부분을 읽고, 글쓴이는 어떠한 회장이 되고 싶다고 했는지 찾아 쓰세요.**

> 안녕하세요. 저는 기호 5번 정여진이라고 합니다. 제가 이 자리에 선 이유는 신데렐라 속 요술 할머니처럼 여러분께 도움을 드릴 수 있는 회장이 되고 싶어서입니다. 저는 성격이 매우 꼼꼼해서 작은 것도 잘 놓치지 않습니다. 이러한 저의 꼼꼼함으로 여러분이 바라는 것을 쏙쏙 잡아내어 웃음 가득한 우리 반을 만들고 싶습니다.

• 신데렐라 속 요술 할머니처럼 [ㄷ][ㅇ] 을 줄 수 있는 회장

3 **다음 밑줄 그은 말을 고치려고 할 때 알맞은 말에 ○표를 하세요.**

> 지원이는 회장이 되기를 <u>바랬다</u>.

(바랐다 , 바랬다)

글쓰기

4 **다음 사진을 보고, 보기 에서 알맞은 말을 골라 빈칸에 써넣고, 공약을 따라 쓰세요.**

보기

교과서　　장난감　　목도리

교실에V여러V
______을V갖추어V
두겠습니다.

5 **다음 내용에 어울리는 공약에 ○표를 하세요.**

> 동영상을 통해 친구들과 소통하며 즐거운 학교생활을 보낼 수 있을 것입니다.

(1) 우리 반 교실 책상을 모두 새것으로 바꾸겠습니다. (　　)

(2) 우리 반만의 동영상 게시판을 만들겠습니다. (　　)

6 **다음 공약을 실천했을 때의 효과로 알맞은 것에 ○표를 하세요.**

> 마니토 활동을 하겠습니다.

(1) 친구들이 더 즐겁게 독서를 할 수 있을 것입니다. (　　)

(2) 아직 친구들과 서로 잘 모르는데 마니토 활동으로 친해질 수 있을 것입니다. (　　)

▶ 정답 및 해설 22쪽

[7~8] 다음 회장 선거 연설문을 읽고, 물음에 답하세요.

안녕하세요. 저는 기호 3번 유민수입니다. 저는 요술 램프의 지니처럼 여러분을 도와 행복이 가득한 반을 만들고 싶어 이 자리에 섰습니다.

행복한 반을 만들기 위해서 두 가지 약속을 준비했습니다.

첫째, 여러분들의 고민을 나눌 수 있는 고민 게시판을 만들겠습니다. 조사 결과 우리 반 친구 25명 중 20명이 고민이 있다고 합니다. 고민 게시판을 통해 친구들과 고민을 나누고 해결해 나갈 수 있을 것입니다. [㉠]

둘째, 빌릴 수 있는 학급 우산을 마련하겠습니다. 교실에 우산을 여러 개 마련하여 비 오는 날 우산을 가져오지 않은 친구들이 곤란하지 않도록 하겠습니다. 비 내리는 날 우산이 없어 걱정하는 일을 학급 우산 마련으로 없애겠습니다.

7 [㉠] **안에 들어갈 공약에 대한 실천 계획을 알맞게 말한 친구의 이름을 쓰세요.**

주아: 고민 게시판에서 질문과 답변이 기분 좋게 오갈 수 있도록 관리하고 저도 열심히 답을 달겠습니다.
진수: 제가 문자 메시지로 매일 저녁마다 여러분 모두에게 챙겨야 할 숙제, 준비물과 같은 소식을 알려 드릴 것입니다.

(　　　　)

글쓰기

8 **이 연설문에 이어질 끝부분입니다. 빈칸에 알맞은 낱말을** 보기 **에서 각각 골라 쓰세요.**

보기
우산　감사　고민

여러분, [ ][ ]을 말할 곳이 필요하신가요? [ ][ ]은 어떠세요? 모두 필요하시다면 저 기호 3번 유민수를 뽑아 주시길 바랍니다. [ ][ ]합니다.

[9~10] 다음 그림을 보고, 물음에 답하세요.

9 **그림에서 주영이가 이야기하고 있는 부분은 회장 선거 연설문의 어느 내용에 해당하는지 알맞은 것에 ○표를 하세요.**

(1) 처음 부분 (　　)
(2) 공약 (　　)
(3) 공약 실천 계획과 효과 (　　)

10 **주영이의 회장 선거 연설문의 끝부분에 알맞은 낱말을 찾아 빈칸에 쓰세요.**

• [ㅇ][ㅎ]처럼 즐거움을 줄 회장, 저 기호 5번 한주영을 기억해 주세요. 감사합니다.

4주

4주에는 무엇을 공부할까? ①

4 주

다양한 주제로 편지를 써 보자!

1일 소식을 전하는 편지 쓰기
2일 부탁하는 편지 쓰기
3일 축하하는 편지 쓰기
4일 감사함을 전하는 편지 쓰기
5일 소개하는 편지 쓰기

4주 4주에는 무엇을 공부할까? ❷

1-1 **다음 중 편지에 대한 설명으로 알맞지 않은 것에 ×표를 하세요.**

(1) 편지를 쓸 때에는 책을 읽은 동기, 책 내용, 책을 읽고 생각하거나 느낀 점이 꼭 들어가게 쓴다. (　　　)

(2) 편지를 쓸 때에는 '받을 사람, 첫인사, 전하고 싶은 말, 끝인사, 쓴 날짜, 쓴 사람'의 형식에 맞게 쓴다. (　　　)

(3) 편지는 소식을 전할 때, 부탁할 때, 축하할 때, 감사함을 전할 때, 소개할 때 등 다양한 상황에서 쓸 수 있다. (　　　)

1-2 **다음 친구의 생각을 잘 보고, 친구가 어떤 편지를 쓰면 좋을지 빈칸에 알맞은 말을 쓰세요.**

ㅅ ㄱ 하는 편지 쓰기

▶정답 및 해설 23쪽

2-1 다음 중 축하하는 마음을 담아 편지를 쓰는 상황을 바르게 말한 친구의 이름에 모두 ○표를 하세요.

초등학교에 입학한 동생에게 편지를 써야겠어.

달래

할아버지의 생신이 곧 다가오는데 할아버지께 편지를 써야겠어.

기찬

친구에게 어제 읽은 책을 소개하고 싶은데 편지를 써야겠어.

밤톨

2-2 다음 그림의 상황에 어울리는 편지 쓰기는 무엇인지 빈칸에 알맞은 말을 쓰세요.

친한 친구의 생일잔치에 초대되어 갔다. 친구에게 선물과 함께 [ㅊ] [ㅎ] 하는 편지를 써서 주었다.

4주

1일 소식을 전하는 편지 쓰기

나에게 일어난 특별한 일을 전하는 편지를 써라!

편지는 소식을 전할 때, 부탁할 때, 축하할 때, 소개할 때 등 다양한 상황에서 쓸 수 있어요.
소식을 전하는 편지에는 자신에게 일어난 특별한 일과
그 일에 대한 자신의 생각이나 느낌을 써요.
'받을 사람, 첫인사, 전하고 싶은 말, 끝인사, 쓴 날짜, 쓴 사람'의
편지의 형식에 맞게 쓰는 것도 잊지 말아요.

▶정답 및 해설 23쪽

● 사다리 타기를 하여 도착한 곳의 낱말을 따라 쓰며, 소식을 전하는 편지를 쓰는 방법을 알아보아요.

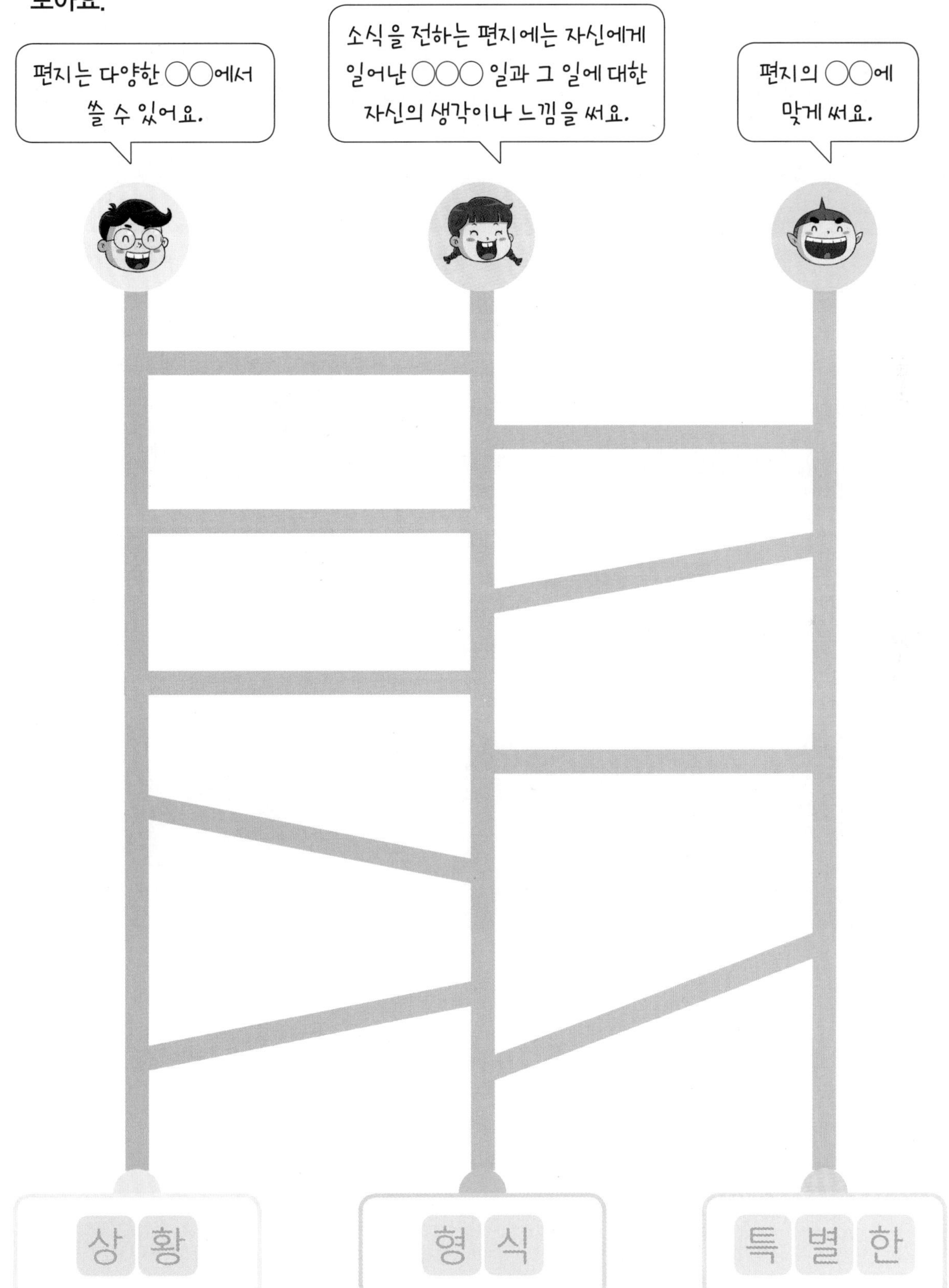

소식을 전하는 편지 쓰기

◎ 다음 만화를 읽고, 밤톨이가 가족들에게 소식을 전하는 편지를 써 보세요.

어휘 풀이

- **드디어** 몹시 기다리던 것이 끝내. 결국에 가서. ㊈ 오늘 드디어 시험이 끝났다.
- **빛을 보는구나** 알려지지 않은 일이나 물건, 노력 등이 세상에 알려지고 인정받는구나.
  ㊈ 훌륭한 선생님 밑에서 열심히 연습하더니 드디어 빛을 보는구나.
- **뽐낼** 자신의 능력 등을 남에게 보라는 듯이 자랑할. ㊈ 친구는 축구 실력을 뽐낼 기회만 엿보고 있다.

▶정답 및 해설 23쪽

낱말 쓰기

밤톨이가 소식을 전하는 편지를 쓰려고 해요. 다음 그림을 보고, 빈칸에 알맞은 낱말을 각각 쓰세요.

(1) 기쁜 ㅅ ㅅ 을 전해 드리고 싶어서 편지를 써요.

(2) 오늘 글쓰기 대회에서 ㅅ 을 받았어요.

문장 쓰기

1의 내용을 넣어 소식을 전하는 편지에서 밤톨이가 전하고 싶은 말을 두 문장으로 쓰세요.

❶ 싶어서 편지를 써요.

❷ 오늘 받았어요.

한 편 쓰기

2에서 쓴 문장을 넣어 소식을 전하는 편지를 완성해 보세요.

엄마, 아빠께

다들 건강하게 잘 지내시죠? 저는 지구별에서 잘 지내고 있어요.

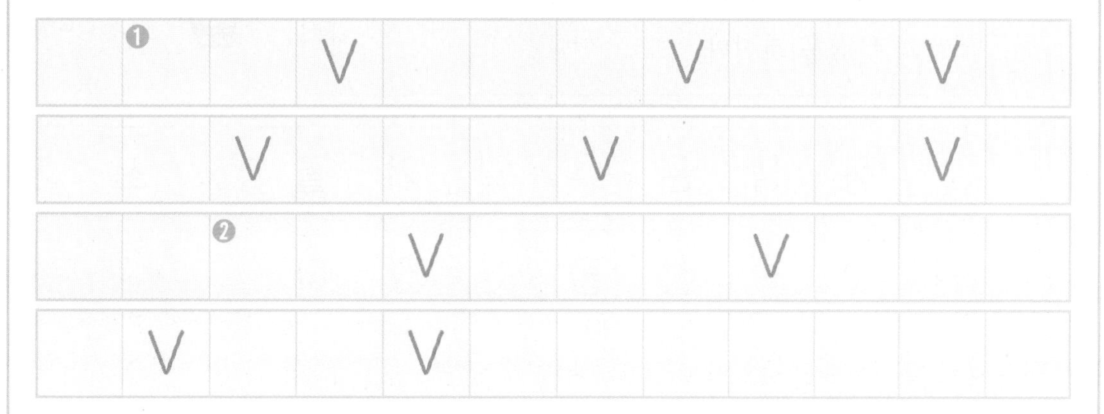

글쓰기 공부를 열심히 한 보람이 있어서 정말 기뻐요. 함께 축하해 주실 거죠?

곧 만날 날을 기다리며 지구별에서 잘 지낼게요. 엄마, 아빠 사랑해요.

20○○년 8월 30일 / 엄마, 아빠를 사랑하는 밤톨 드림

4 주

1일 똑똑한 하루 글쓰기 고쳐쓰기

▶정답 및 해설 23쪽

1 낱말 고쳐쓰기

다음 기찬이의 말에서 밑줄 그은 낱말 대신 바꿔 쓰기에 알맞은 낱말을 보기 에서 골라 쓰세요.

보기

별안간	갑작스럽고 아주 짧은 동안.
마침내	드디어 마지막에는.

글쓰기 공부를 열심히 하더니
<u>드디어</u> 빛을 보는구나.

→ 글쓰기 공부를 열심히 하더니
□□□ 빛을 보는구나.

2 문장 고쳐쓰기

다음 친구가 고쳐 쓴 문장 과 같이 바르게 고치고, 문장을 따라 쓰세요.

친구가 고쳐 쓴 문장

글쓰기 공부를 열심히 하지 <u>안았다면</u> 상을 받지 못했을 것이다.
→ 글쓰기 공부를 열심히 하지 <u>않았다면</u> 상을 받지 못했을 것이다.

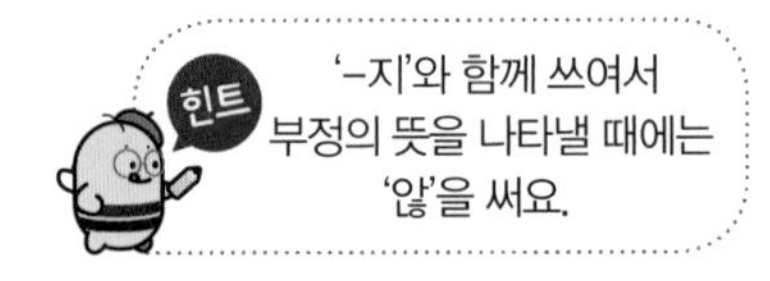

	동	생	은	V	일	기	를	V	쓰	지	V
<u>안</u>	<u>고</u>	V	잠	을	V	잤	다	.			

↓

	동	생	은	V	일	기	를	V	쓰	지	V
		V	잠	을	V	잤	다	.			

똑똑한
하루 글쓰기 마무리

내 생각 쓰기로 하루 마무리

▶ 정답 및 해설 23쪽

◉ 밤톨이 부모님께서 밤톨이에게 답장을 쓰려고 해요. 다음 만화를 읽고, 빈칸에 알맞은 말을 보기 에서 골라 쓰세요.

보기

- 밤 축제에 참가하여 즐거운 시간을 보냈단다.
- 다음에 만나면 오빠와 키 재기를 하겠다고 하는구나.
- 상을 받은 네가 너무 자랑스럽다.

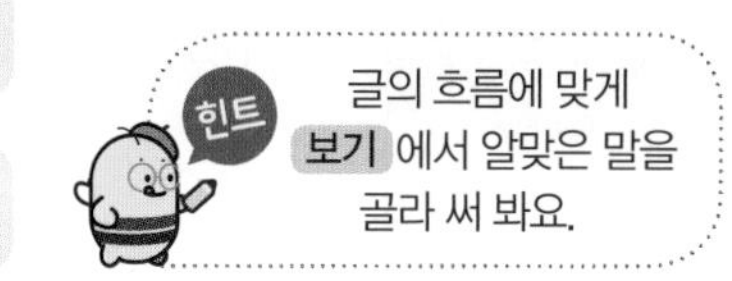

보고 싶은 밤톨이에게

밤톨아, 편지를 통해 잘 지내고 있는 네 소식을 듣고 엄마와 아빠는 너무 기뻤단다. 엄마와 아빠, 동생도 건강하게 잘 지내고 있단다.

지구별에서 글쓰기 공부를 열심히 해서 ❶ ______________________

____

이곳은 지금 곳곳에서 열리는 밤 축제로 즐거운 나날을 보내고 있단다. 우리도 어제 ❷ ____

그리고 네 동생은 이번에 키가 3센티미터나 자랐어. ❸ ______________________

____

그럼 지구별에서 친구들과 잘 지내고 종종 편지로 안부를 전해 주렴. 안녕!

20○○년 9월 5일 / 바밤별에서 엄마와 아빠가

4주

2일 부탁하는 편지 쓰기

누군가에게 부탁하는 편지를 써라!

부탁하는 편지는 누군가에게 부탁하고 싶은 것이 있을 때 써요.
부탁하는 편지를 쓸 때에는 상대방에게 부탁하는 말과 함께 부탁하는 까닭을 자세하게 써요.
상대방의 마음을 헤아려 예의 바르게 쓰는 것도 잊지 말아요.

▶정답 및 해설 24쪽

부탁하는 편지를 쓰는 방법에 맞게 빈칸에 알맞은 말을 쓰고, 퍼즐판에서 찾아 ◯표를 하세요.

2일 부탁하는 편지 쓰기

● 다음 그림을 보고, 교장 선생님께 부탁하는 편지를 써 보세요.

어휘 풀이

▼**특산물** | 특별할 특 特, 낳을 산 産, 만물 물 物 | 어떤 지역에서 특별히 생산되는 물건.

예 여행을 가서 그 지역의 특산물을 사 왔다.

▼**농가** | 농사 농 農, 집 가 家 | 농사를 본업으로 하는 사람의 집. 또는 그런 가정.

예 고추 농사를 짓는 농가가 줄어들고 있다.

▼**대책** | 대답할 대 對, 꾀 책 策 | 어떤 일에 대처할 계획이나 수단.

예 우리는 근본적인 대책을 마련하기 위해 회의를 했다.

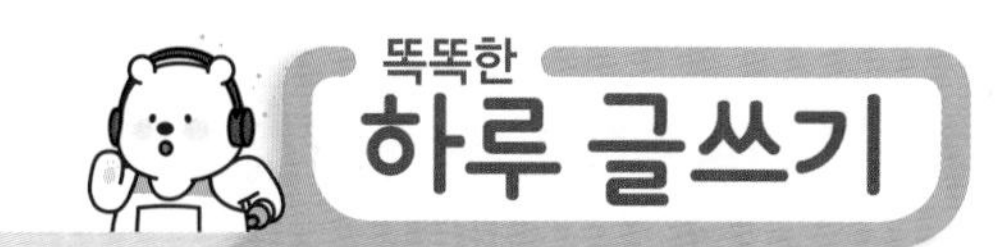

▶정답 및 해설 24쪽

낱말 쓰기

다음 그림을 보고, 빈칸에 알맞은 낱말을 각각 쓰세요.

우리 지역 **특산물**로 만든 음식이 급식에 나오면 우리 **농가**에 도움을 줄 수 있고, …….

(1) 일주일에 한 번 우리 지역에서 나는 [ㅌ][ㅅ][ㅁ]로 만든 급식을 먹을 수 있게 해 주세요.

(2) 우리 [ㄴ][ㄱ]에 도움을 줄 수 있고, 우리는 신선한 재료로 만든 음식을 먹을 수 있어서 좋아요.

문장 쓰기

1에서 쓴 내용을 두 문장으로 정리하여 쓰세요.

❶ 일주일에 한 번 우리 지역에서 나는 [ ][ ][ ][ ][ ][ ] [ ][ ][ ][ ][ ][ ][ ][ ] 해 주세요.

❷ 우리 [ ][ ][ ][ ][ ][ ][ ][ ][ ][ ][ ], 우리는 신선한 재료로 만든 음식을 먹을 수 있어서 좋아요.

한 편 쓰기

2에서 쓴 문장을 넣어 부탁하는 편지를 완성해 보세요.

교장 선생님께

교장 선생님, 안녕하세요? 저는 4학년 2반 김희수라고 해요. 교장 선생님께 부탁을 드리고 싶은 것이 있어서 편지를 써요.

❶ ______________________________

____

❷ ______________________________

____

그럼 안녕히 계세요.

20○○년 5월 25일 / 김희수 올림

4주

▶정답 및 해설 24쪽

1 낱말 고쳐쓰기

다음 문장에서 키운 을 뜻이 비슷한 다른 낱말로 바꿔 쓰려고 해요. 보기 에서 바꿔 쓰고 싶은 낱말을 골라 바꿔 쓰세요.

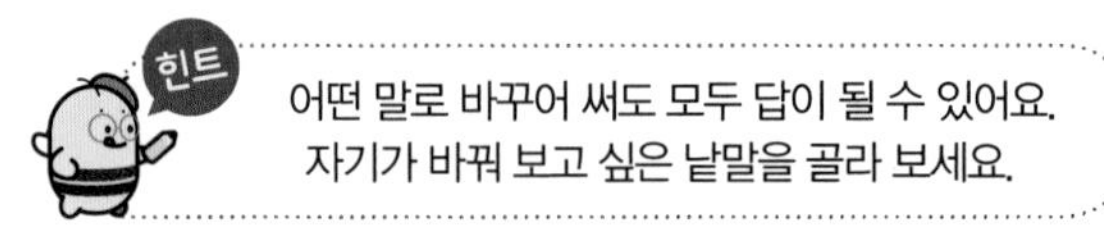

열심히 농작물을 **키운** 농부 아저씨께서 많이 속상하시겠다.

↓

열심히 농작물을 (   ) 농부 아저씨께서 많이 속상하시겠다.

2 문장 고쳐쓰기

다음 친구가 고쳐 쓴 문장 과 같이 밑줄 그은 부분의 띄어쓰기를 바르게 고치고, 문장을 따라 쓰세요.

친구가 고쳐 쓴 문장

네가 원하는대로 해 줄게.

→ 네가 원하는 대로 해 줄게.

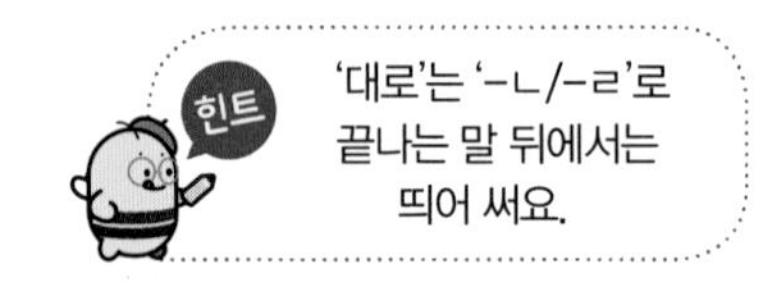

	생	각	한	대	로	V	솔	직	하	게	V
교	장	V	선	생	님	께	V	부	탁	하	는	V
편	지	를	V	써	야	겠	어	.			

↓

				V			V	솔	직	하	게	V
교	장	V	선	생	님	께	V	부	탁	하	는	V
편	지	를	V	써	야	겠	어	.			

▶정답 및 해설 24쪽

◎ 다음은 교통경찰님께 부탁하는 편지를 쓴 것이에요. 빈칸에 알맞은 말을 보기 에서 골라 편지를 완성해 보세요.

보기

- 어린 동생들이 길을 건너기에 너무 위험해요.
- 하교 시간에도 교통정리를 해 주세요.

보기 에서 알맞은 말을 골라 문장의 빈칸에 넣어 교통경찰님께 부탁하는 편지를 완성해 봐요.

교통경찰님께

안녕하세요? 저는 천재초등학교 4학년 3반 김지수라고 해요. 교통경찰님께 부탁을 드리고 싶은 것이 있어요.

길을 안전하게 건널 수 있도록 ❶ ______________________________

____

학교 앞 도로는 오토바이와 자동차들이 쌩쌩 달려서 ❷ ______________

____

안전을 위해 제 부탁을 꼭 들어주세요.

그럼 안녕히 계세요.

20○○년 6월 2일

김지수 올림

3일 축하하는 편지 쓰기

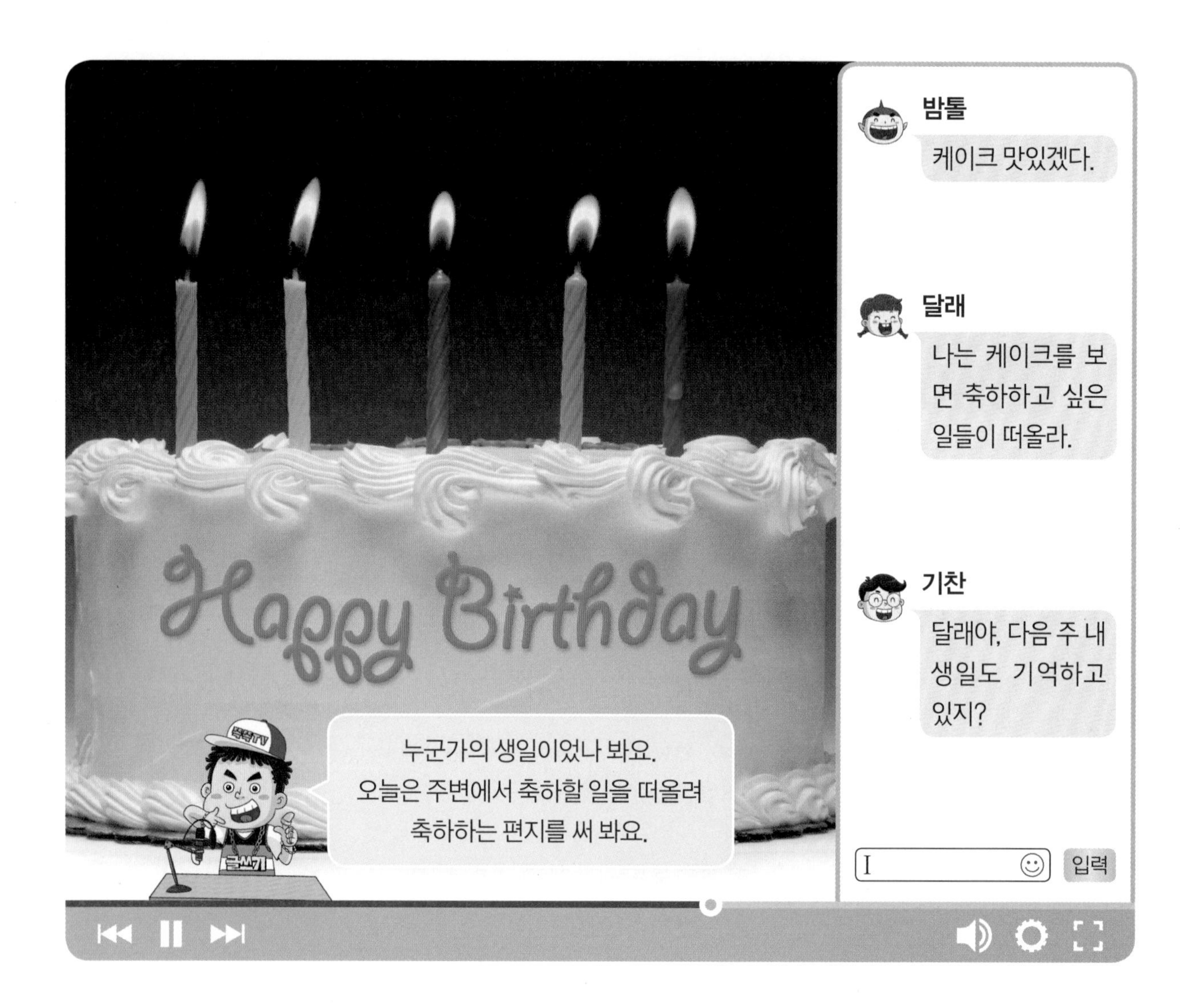

상대방을 축하하는 편지를 써라!

축하하는 편지는 입학했을 때, 졸업했을 때, 상을 받았을 때,
생일일 때 등 상대방의 기쁜 일을 축하할 때 써요.
'정말 축하해.', '네가 대단해.', '축하드려요.' 등의
축하하는 마음을 나타내는 말을 사용해
전하고 싶은 말을 분명하고 자세하게 써요.

▶정답 및 해설 25쪽

사다리 타기를 하여 도착한 곳의 낱말을 따라 쓰며, 축하하는 편지를 쓰는 방법에 대해 알아보아요.

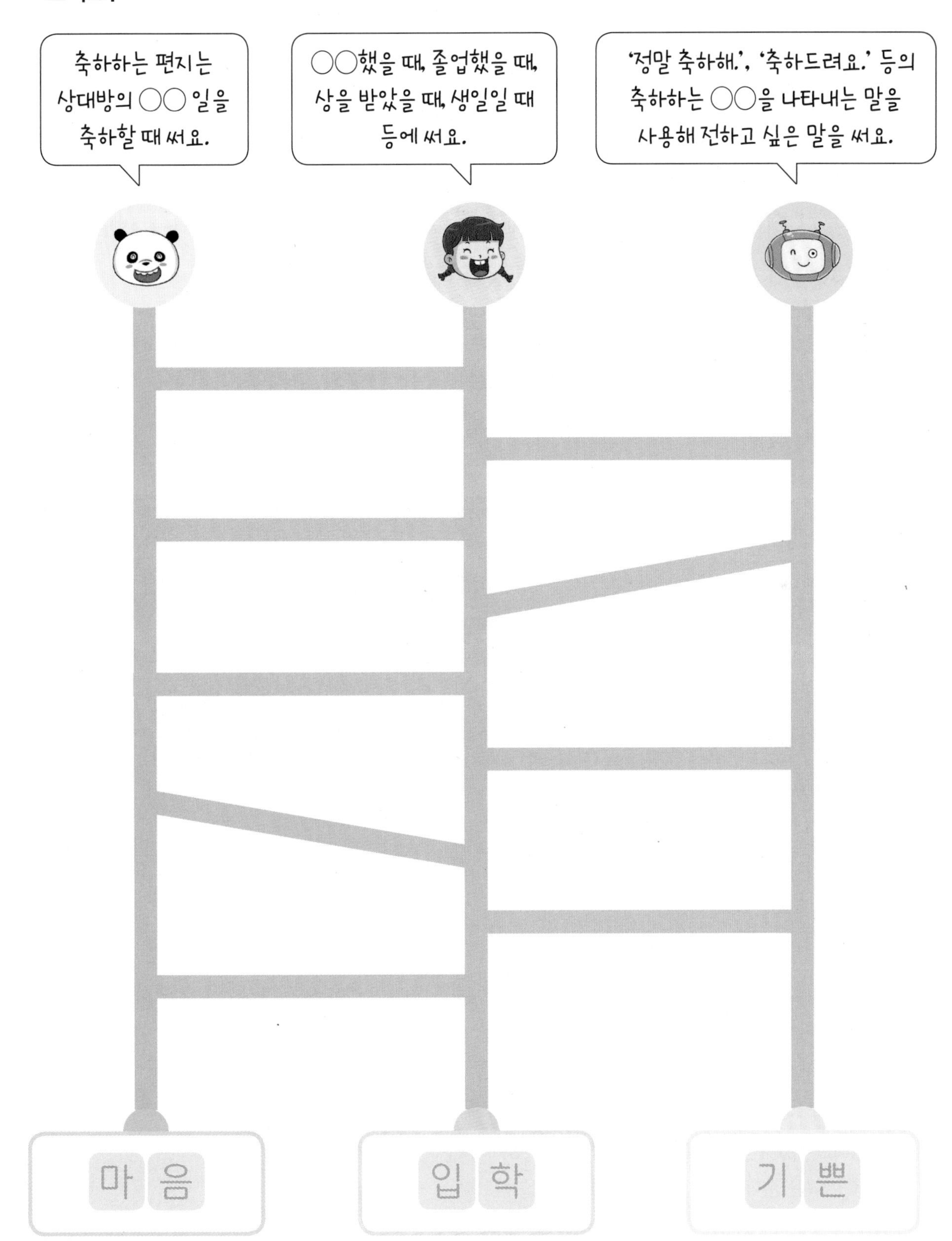

3일 축하하는 편지 쓰기

● **다음 선영이의 일기를 읽고, 언니에게 졸업을 축하하는 편지를 써 보세요.**

20○○년 2월 16일	날씨: 바람은 많이 불었지만 햇살이 따사로웠던 날

제목: 언니, 졸업 축하해

오늘은 언니의 초등학교▼졸업식이 있는 날이었다.

아침부터 엄마와 아빠께서는 언니의 졸업식에 참석하시기 위해▼분주하셨다. 나는 며칠 전부터 액세서리 가게에 가서 언니에게 줄 선물을 고르느라▼골머리를 썩였다. 언니가 꼭 마음에 들어할 선물을 고르고 싶었기 때문이다.

언니의 졸업식을 마치고 우리 가족은 운동장에서 기념사진을 찍었다.

나는 언니에게 가방에 달고 다닐 수 있는 작은 인형과 졸업을 축하하는 편지를 써서 주었다.

언니는 "선영아, 고마워. 예쁜 인형이네. 가방에 잘 달고 다닐게."라고 말하며 좋아했다.

초등학교 6년 동안 학급 회장을 놓치지 않고 열심히 학교를 다닌 언니가 자랑스럽고, 중학교에 가서도 잘 적응하며 지냈으면 좋겠다.

어휘 풀이

▼**졸업식**|마칠 졸 卒, 업 업 業, 법 식 式| 학교에서 일정한 교과 과정을 모두 마친 것을 기념하는 의식.
 예) 오빠는 졸업식에서 대표로 상을 받았다.

▼**분주**|달아날 분 奔, 달릴 주 走|**하셨다** 정신이 없을 정도로 매우 바쁘셨다.
 예) 고모께서는 가게에 손님이 많아서 분주하셨다.

▼**골머리를 썩였다** 어떤 일로 몹시 애를 쓰며 생각에 몰두하였다.
 예) 어려운 수학 문제를 풀기 위해 골머리를 썩였다.

▶정답 및 해설 25쪽

낱말 쓰기

1단계 다음 그림을 보고, 빈칸에 알맞은 낱말을 각각 쓰세요.

(1) 초등학교 ㅈ ㅇ 을 정말 축하해.

(2) 6년 동안 열심히 학교를 다닌 언니가 자랑스럽고 중학교에 가서도 잘 ㅈ ㅇ 하며 지냈으면 좋겠어.

문장 쓰기

2단계 1에서 쓴 내용을 두 문장으로 정리하여 쓰세요.

❶ 초등학교 .

❷ 6년 동안 언니가 자랑스럽고 지냈으면 좋겠어.

한 편 쓰기

3단계 2에서 쓴 문장을 넣어 축하하는 편지를 완성해 보세요.

언니에게

언니, 안녕? 나 선영이야.

❶ ______________________________

❷ ______________________________

그럼 우리 앞으로도 사이좋은 자매로 잘 지내자. 안녕.

20○○년 2월 16일

언니를 사랑하는 동생 선영이가

▶정답 및 해설 25쪽

1 낱말 고쳐쓰기

다음 문장의 밑줄 그은 낱말 대신 바꿔 쓰기에 알맞은 낱말을 보기 에서 골라 바꿔 써 보세요.

보기

식당 극장 상점

힌트 '상점'은 '일정한 시설을 갖추고 물건을 파는 곳.'이라는 뜻이에요.

나는 며칠 전부터 액세서리 가게에 가서 언니에게 줄 선물을 고르느라 골머리를 썩였다.

↓

나는 며칠 전부터 액세서리 [ ][ ]에 가서 언니에게 줄 선물을 고르느라 골머리를 썩였다.

2 문장 고쳐쓰기

다음 친구가 쓴 글 에서 밑줄 그은 부분을 바르게 고치고, 문장을 따라 쓰세요.

친구가 쓴 글

언니의 졸업식을 맞히고 우리 가족은 운동장에서 기념사진을 찌겄다.

↓

▶ 정답 및 해설 25쪽

다음은 할머니의 생신을 축하드리기 위해 쓴 편지예요. 보기 의 내용 중 축하하는 마음이 잘 드러난 문장을 한 가지 골라 편지를 완성해 보세요.

보기

- 할머니의 일흔 번째 생신을 정말 축하드려요.
- 사랑하는 할머니, 생신을 진심으로 축하드려요.
- 할머니, 생신을 축하드려요. 항상 건강하시길 바랄게요.

할머니께

할머니, 안녕하세요? 날씨가 많이 더운데 건강하게 잘 지내시죠?

저는 학교를 다니며 동생과 사이좋게 잘 지내고 있어요. 곧 할머니 생신이 다가와서 이렇게 편지를 써요.

빨리 다음 주가 되어서 할머니를 뵙고 싶어요. 이번에는 미국에 계시는 고모도 오신다고 하니 벌써부터 기대가 돼요.

할머니, 다시 한번 생신을 축하드려요.

그럼 만나는 날까지 잘 지내시길 바랄게요.

20○○년 7월 15일

할머니를 사랑하는 손자 성주 올림

보기 의 세 가지 내용 중 어떤 내용을 넣어도 모두 답이 될 수 있어요.

감사함을 전하는 편지 쓰기

웃어른께 감사하는 마음을 담아 편지를 써라!

먼저 부모님이나 선생님 등 웃어른께 감사한 일을 떠올려 봐요.
웃어른께 어떠한 일이 감사한지 쓰고,
감사한 마음을 드러내는 표현을 사용해서 마음을 전해요.
이때, 자신의 생각이나 느낌을 함께 써요.

▶정답 및 해설 26쪽

◉ 그림에 맞는 퍼즐 모양을 찾아 ○표를 하고, 웃어른께 감사함을 전하는 편지를 쓰는 방법을 알아보아요.

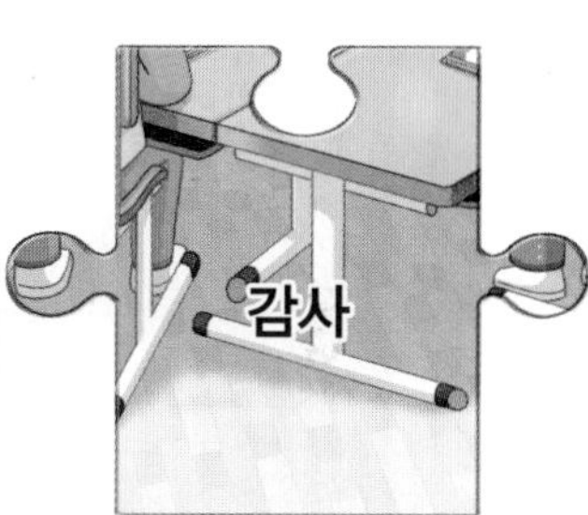

감사함을 전하는 편지에 들어갈 내용을 생각하며 문장을 따라 쓰세요.

	선	생	님	,	항	상	V	사	랑	으	로	V
보	살	펴	V	주	셔	서	V	감	사	합	니	
다	.											

감사함을 전하는 편지 쓰기

◎ 다음 만화를 읽고, 할아버지께 감사함을 전하는 편지를 써 보세요.

어휘 풀이

- **부쳐** 편지나 물건 따위를 일정한 수단이나 방법을 써서 상대에게로 보내.
  - 예 선생님께 편지를 부쳐 드렸다.
- **탐**|탐할 탐 貪|**스러워요** 가지거나 차지하고 싶은 마음이 들 정도로 보기가 좋고 끌리는 데가 있어요.
  - 예 마당에 핀 장미가 탐스러워요.
- **아삭아삭** 연하고 싱싱한 과일이나 채소 따위를 보드랍게 베어 물 때 자꾸 나는 소리.
  - 예 오이를 아삭아삭 깨물어 먹었다.

▶정답 및 해설 26쪽

낱말 쓰기

1단계 다음 그림을 보고, 빈칸에 알맞은 낱말을 보기 에서 각각 골라 쓰세요.

보기

사과 포도 가사 농사

(1) 보내 주신 □□는 맛있게 잘 먹었어요.

(2) 힘들게 □□ 지으신 사과를 보내 주셔서 정말 감사해요.

문장 쓰기

2단계 1에서 쓴 내용을 두 문장으로 정리하여 쓰세요.

❶ 보내 주신 □□□□□□□□□□ □.

❷ 힘들게 □□□□□ 사과를 보내 주셔서 □□□ □□□.

한 편 쓰기

3단계 2에서 쓴 문장을 넣어 감사함을 전하는 편지를 완성해 보세요.

할아버지께

할아버지, 안녕하세요? 건강하게 잘 지내시죠?

❶ ______________________________

❷ ______________________________

____

할아버지, 항상 건강하시길 바라요. 그리고 사랑해요.

20○○년 11월 13일 / 손자 수혁 올림

4주

▶ 정답 및 해설 26쪽

1

낱말 고쳐쓰기

다음 보기 에서 낱말의 뜻을 보고, 문장의 밑줄 그은 낱말을 각각 바르게 고쳐 쓰세요.

> **보기**
>
> **붙이다** 맞닿아 떨어지지 않게 하다.
>
> **부치다** 편지나 물건 따위를 일정한 수단이나 방법을 써서 상대에게로 보내다.

(1) 편지 봉투에 우표를 <u>부치다</u>.

→ 

(2) 친구에게 편지를 써서 <u>붙이다</u>.

→ 

2

문장 고쳐쓰기

다음 수혁이의 말에서 밑줄 그은 부분을 높임말로 바르게 고치고, 문장을 따라 쓰세요.

맛있는 사과를 보내 <u>준</u>
<u>할아버지에게</u> 편지를
써서 <u>줘야겠어요</u>.

	맛	있	는	V	사	과	를	V	보	내	V
		V						V	편	지	를 V
써	서	V							.		

힌트 '준' 대신 '주신', '에게' 대신 '께', '줘야겠어요' 대신 '드려야겠어요' 라고 높임말을 써야 해요.

▶정답 및 해설 26쪽

◎ 다음 그림을 보고, 한 가지 상황을 골라 웃어른께 감사함을 전하는 편지를 써 보세요.

힌트 부모님이나 선생님께 감사한 일을 떠올려 감사한 마음을 전하는 편지를 써 봐요. 편지의 형식에 맞게 쓰는 것도 잊지 말아요.

4주

5일 소개하는 편지 쓰기

상대방에게 알고 있는 것을 소개하는 편지를 써라!

소개하는 편지를 쓸 때에는 상대방에게 무엇을 소개하면 좋을지 생각해 보고 좋은 책, 어떤 사람, 물건, 지역 등 자신이 잘 알고 있는 것을 소개하는 내용으로 써요. 이때, 상대방이 잘 알 수 있도록 소개하는 대상에 대해 자세하게 써야 해요.

▶정답 및 해설 27쪽

● 소개하는 편지를 쓰는 방법에 맞게 빈칸에 알맞은 말을 따라 쓰세요.

[소][개]하는 편지를 쓸 때에는 상대방에게 무엇을 소개하면 좋을지 생각해 보고 좋은 [책], 어떤 [사][람], [물][건], [지][역] 등 자신이 잘 알고 있는 것을 소개하는 내용으로 써요. 이때, 상대방이 잘 알 수 있도록 소개하는 대상에 대해 [자][세][하][게] 써야 해요.

● 위에서 따라 쓴 말을 모두 찾아 색칠해 보고, 어떤 모양이 나오는지 알아보아요.

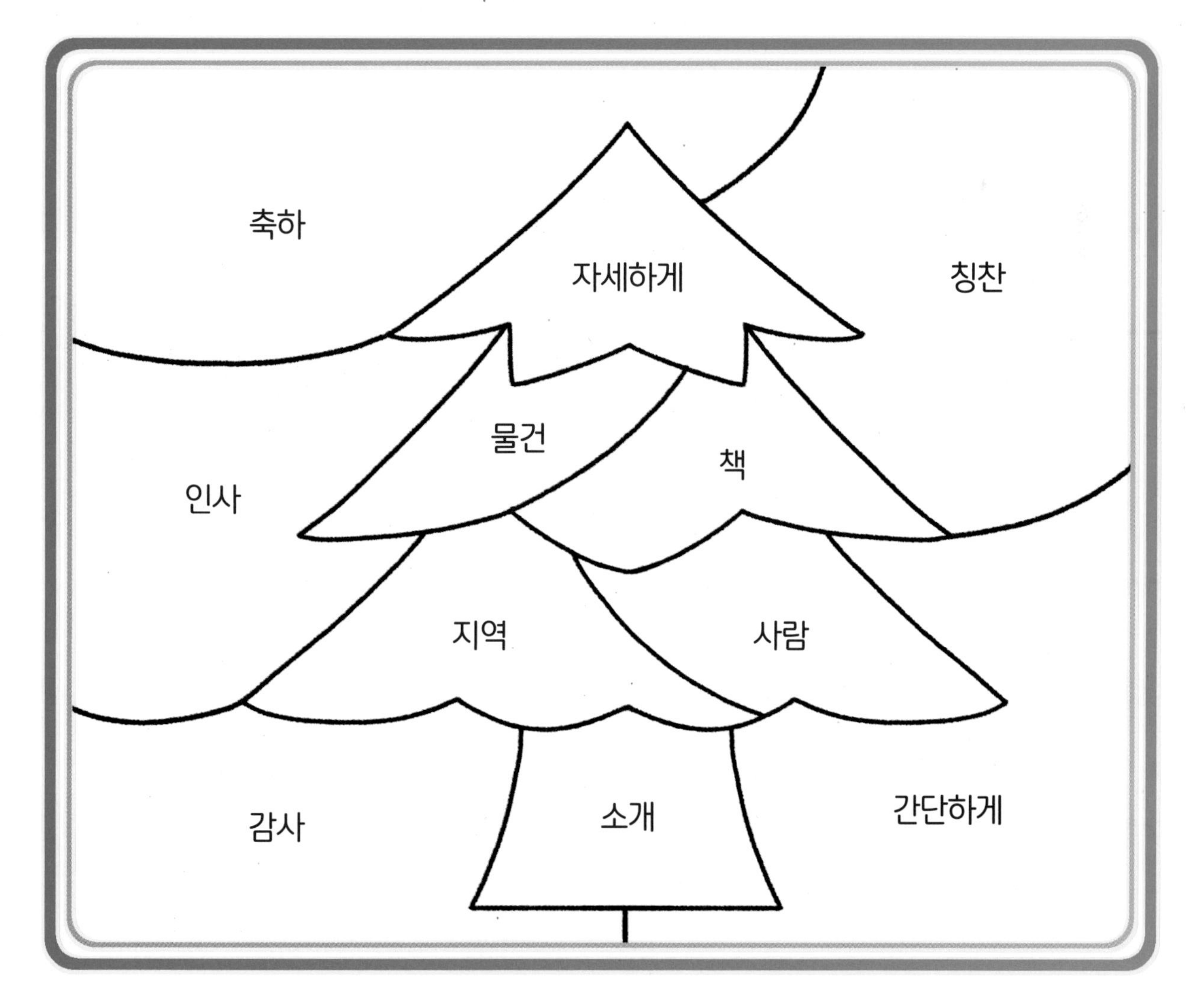

4주

5일 소개하는 편지 쓰기

◉ 다음은 캐나다에 살고 있는 서윤이가 한국에 있는 사촌 오빠에게 쓴 이메일이에요. 읽고, 김치를 소개하는 편지를 써 보세요.

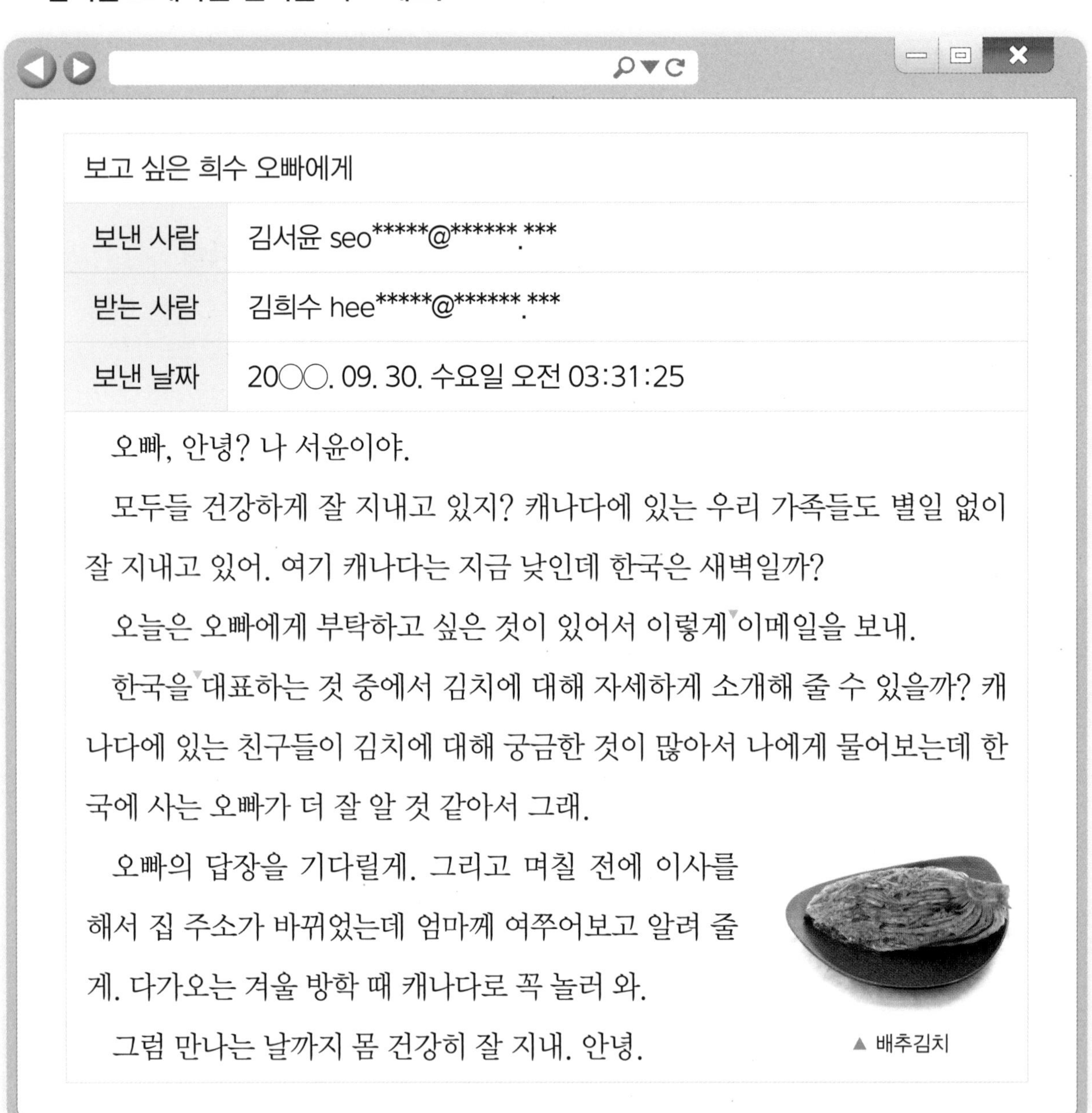

보고 싶은 희수 오빠에게	
보낸 사람	김서윤 seo*****@******.***
받는 사람	김희수 hee*****@******.***
보낸 날짜	20○○. 09. 30. 수요일 오전 03:31:25

오빠, 안녕? 나 서윤이야.

모두들 건강하게 잘 지내고 있지? 캐나다에 있는 우리 가족들도 별일 없이 잘 지내고 있어. 여기 캐나다는 지금 낮인데 한국은 새벽일까?

오늘은 오빠에게 부탁하고 싶은 것이 있어서 이렇게 이메일을 보내.

한국을 대표하는 것 중에서 김치에 대해 자세하게 소개해 줄 수 있을까? 캐나다에 있는 친구들이 김치에 대해 궁금한 것이 많아서 나에게 물어보는데 한국에 사는 오빠가 더 잘 알 것 같아서 그래.

오빠의 답장을 기다릴게. 그리고 며칠 전에 이사를 해서 집 주소가 바뀌었는데 엄마께 여쭈어보고 알려 줄게. 다가오는 겨울 방학 때 캐나다로 꼭 놀러 와.

그럼 만나는 날까지 몸 건강히 잘 지내. 안녕.

▲ 배추김치

어휘 풀이

▾ **이메일** 인터넷이나 통신망으로 주고받는 편지. 전자 우편이라고 함.

예 휴대 전화로 이메일을 쓸 수 있어서 너무 편해.

▾ **대표** | 대신할 대 代, 겉 표 表 | 전체의 상태나 성질을 어느 하나로 잘 나타냄. 또는 그런 것.

예 우리나라를 대표하는 음식 중 하나는 삼계탕이다.

▶정답 및 해설 27쪽

낱말 쓰기

다음 사진을 보고, 빈칸에 알맞은 낱말을 각각 쓰세요.

대표적인 **발효** 음식인 김치는 **종류**가 많구나.

▲ 갓김치 ▲ 깍두기

▲ 열무김치 ▲ 오이소박이

(1) 김치는 소금에 절인 배추나 무 등을 고춧가루, 파, 마늘 등의 양념에 버무린 뒤 [ㅂ][ㅎ]를 시킨 음식이야.

(2) 김치는 재료와 조리 방법에 따라 많은 [ㅈ][ㄹ]가 있어.

문장 쓰기

1에서 쓴 내용을 두 문장으로 정리하여 쓰세요.

❶ 김치는 소금에 절인 배추나 무 등을 고춧가루, 파, 마늘 등의 [ ][ ][ ][ ][ ][ ][ ][ ] 시킨 음식이야.

❷ 김치는 재료와 조리 방법에 따라 ______________ .

한 편 쓰기

2에서 쓴 문장을 넣어 김치를 소개하는 편지를 완성하세요.

서윤아, 안녕? 우리 가족들도 모두 잘 지내고 있어.
너는 어릴 때 이민을 가서 김치에 대해 잘 모를 수도 있겠다.

❶ ______________________________

____

대표적인 발효 식품인 김치는 우리의 건강에도 아주 좋아.

❷ ______________________________

배추김치, 열무김치, 깍두기, 동치미, 갓김치, 오이소박이 등 아주 다양하고 맛도 다 달라.

네 친구들이 한국에 대해 관심이 많은 것 같은데 다음에는 한국을 대표하는 것 중에서 다른 것에 대해서 알려 줄게. 안녕.

▶정답 및 해설 27쪽

1 낱말 고쳐쓰기

다음 문장의 밑줄 그은 낱말을 바르게 고쳐 쓰세요.

며칠 전에 이사를 해서 집 주소가 <u>바꼈는데</u> 알려 줄게.

↓

며칠 전에 이사를 해서 집 주소가 [ ] 알려 줄게.

'바뀌었는데'를 '바꼈는데'로 줄여서 쓸 수 없어요.

2 문장 고쳐쓰기

다음 친구가 고쳐 쓴 문장 과 같이 알맞은 말을 넣어 고치고, 문장을 따라 쓰세요.

친구가 고쳐 쓴 문장

오늘 저녁에는 무엇을 <u>먹을가</u>?

오늘 저녁에는 무엇을 <u>먹을까</u>?

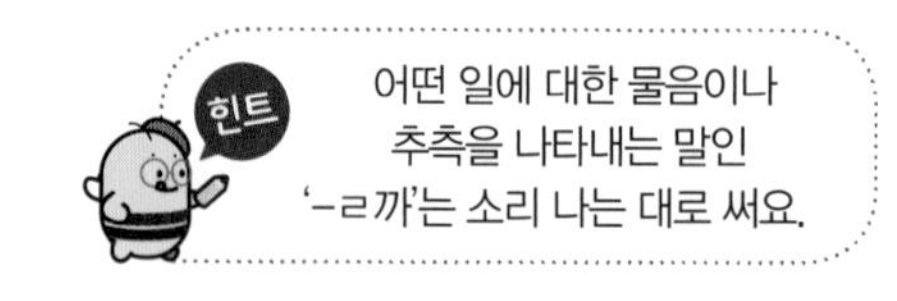

	여	기	V	캐	나	다	는	V	지	금	V
낮	인	데	V	한	국	은	V	<u>새</u>	<u>벽</u>	<u>일</u>	<u>가</u>

?

↓

	여	기	V	캐	나	다	는	V	지	금	V
낮	인	데	V	한	국	은	V				

?

▶정답 및 해설 27쪽

다음 약도를 보고 우리 아파트에 이사 온 친구에게 우리 동네를 소개하는 편지를 쓰세요.

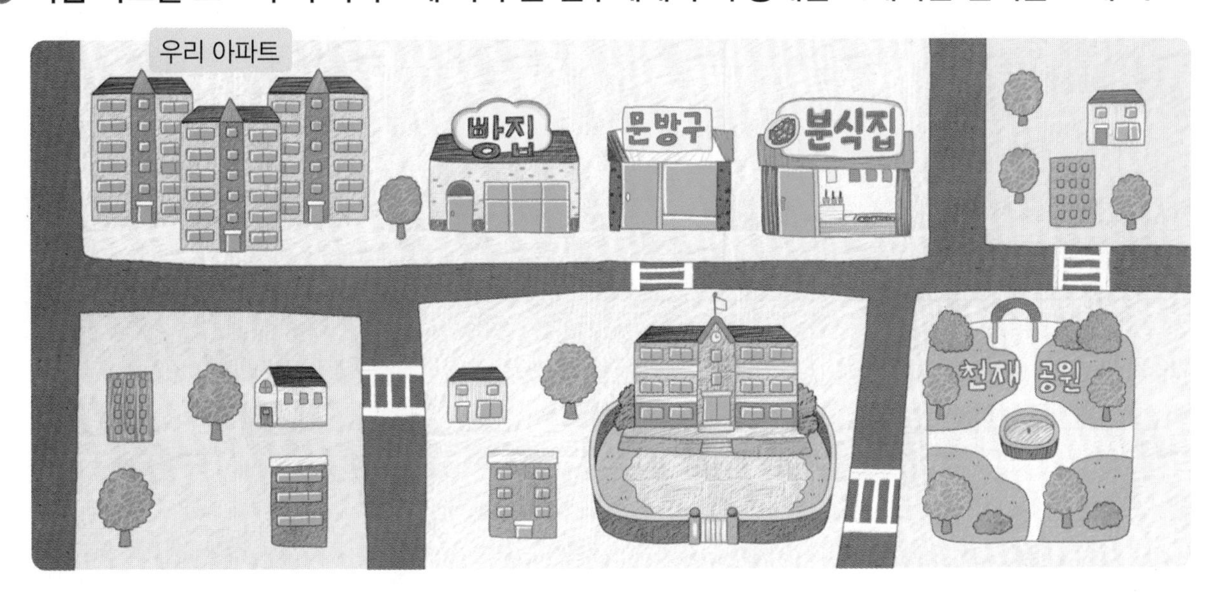

편지의 형식에 맞게 친구에게 우리 동네를 소개하는 편지를 써 봐요.
약도에 나와 있는 중요한 장소에 대한 설명을 자세하게 써 봐요.

생활 어휘 다음 만화를 보며 속담의 뜻을 알아보고, 상황에 맞게 속담을 써 보세요.

무쇠도 갈면 바늘 된다

▶ 정답 및 해설 28쪽

속담의 뜻을 알아봐요!

무쇠도 갈면 바늘 된다

이 속담은 "꾸준히 노력하면 어떤 어려운 일이라도 이룰 수 있다."라는 뜻이랍니다.

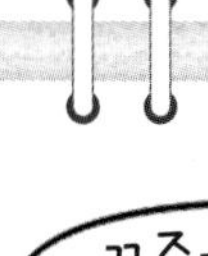

이제 이 속담을 넣어 상황에 맞게 써 볼까요?

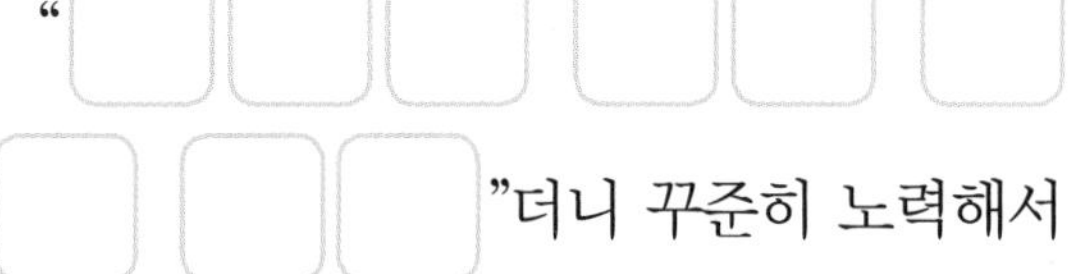

"□□□ □□ □ □□□"더니 꾸준히 노력해서 타자 실력이 좋아졌다.

◉ 수혁이가 할아버지 과수원에 일을 도와드리러 왔어요. 알맞은 낱말이 적힌 사과에 빨간색으로 색칠해 보세요.

- 몹시 기다리던 것이 끝내. 결국에 가서.
- 어떤 지역에서 특별히 생산되는 물건.
- 어떤 일에 대처할 계획이나 수단.
- 학교에서 일정한 교과 과정을 모두 마친 것을 기념하는 의식.
- 연하고 싱싱한 과일이나 채소 따위를 보드랍게 베어 물 때 자꾸 나는 소리.

창의 4주에 쓰인 **낱말과 그 뜻**을 익히며 사과를 색칠해 봅니다.

▶ 정답 및 해설 28쪽

다음은 승호가 교장 선생님께 부탁하는 편지를 쓴 것이에요. 다음 그림이 나타내는 글자가 무엇인지 알아보고, 승호가 교장 선생님께 전하고 싶은 말은 무엇인지 빈칸에 알맞은 말을 쓰세요.

교장 선생님께

교장 선생님, 안녕하세요? 요즘 날씨가 많이 더운데 건강은 괜찮으시죠? 저는 4학년 3반 김승호라고 해요.

제가 이렇게 편지를 쓰게 된 것은 교장 선생님께 부탁을 드리고 싶은 것이 있기 때문이에요.

방학 기간에 도서관  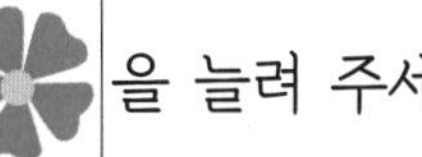을 늘려 주세요. 학원 끝나고 오후에 도서관을 가면 책을 빌리거나 볼 수 없어서 많이 아쉬워요.

항상 우리들을 위해 힘써 주셔서 감사해요.

그럼 더운 날씨에 건강하시길 바랄게요.

20○○년 7월 10일

김승호 올림

그림						
나타내는 글자	이	시	간	사	용	랑

승호는 교장 선생님께 방학 기간에 도서관 ☐☐ ☐☐을 늘려 달라고 부탁하고 있다.

창의 **부탁하는 편지를 쓰는 방법**을 생각해 보고, 부탁하는 편지에서 **전하고 싶은 말**이 무엇인지 알아봅니다.

◉ 선영이가 언니의 졸업 선물을 사기 위해 액세서리 가게에 가려고 해요. 선영이가 선물을 사려면 어떤 코딩 명령을 따라가야 할지 골라 ○표를 하세요.

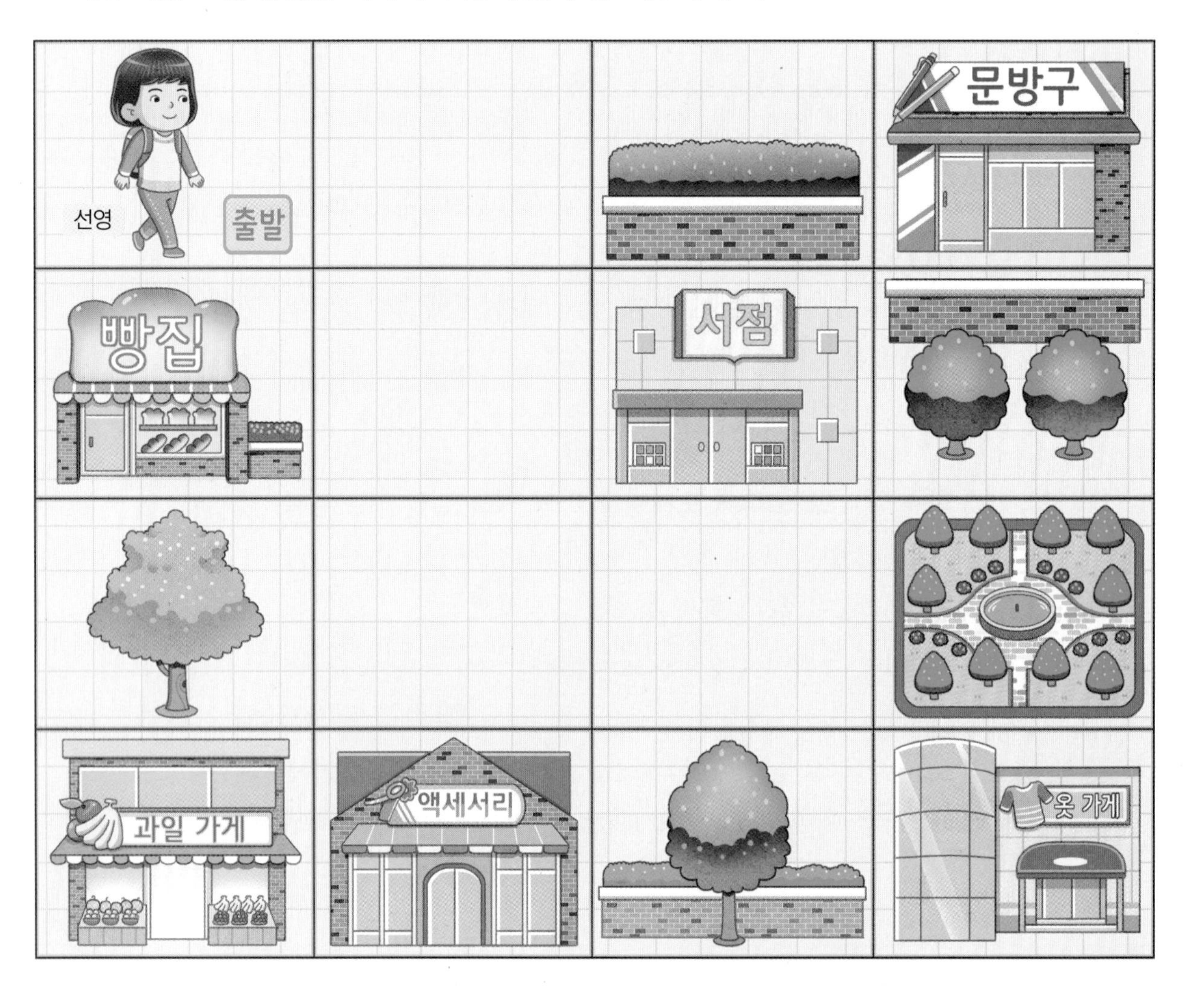

( ) ( )

코딩 액세서리 가게를 찾아가려면 어떤 **코딩 명령**이 필요한지 생각해 봅니다.

▶정답 및 해설 28쪽

희수가 캐나다에 살고 있는 동생 서윤이에게 한국을 대표하는 것 중 무궁화에 대해 소개하는 편지를 쓰려고 해요. 다음 대화를 보고, 무궁화를 소개하는 편지를 완성하세요.

서윤이에게

안녕? 오늘은 무궁화에 대해 알려 줄게.

우리나라의 ☐☐인 무궁화는 '영원히 피고 또 피어서 지지 않는 꽃'이라는 뜻을 지니고 있대. 무궁화는 ☐☐부터 가을까지 피는 꽃으로, ☐☐은 흰색, 보라색, 붉은색 등 다양해.

융합 국어+과학

소개하는 편지를 쓰는 방법을 생각해 보고, **무궁화**에 대해 알아봅니다.

4주 누구나 100점 테스트

1 다음 중 편지를 쓰는 방법에 대해 바르게 말한 친구의 이름에 ○표를 하세요.

2 다음 소식을 전하는 편지에서 밤톨이에게 일어난 특별한 일은 무엇인지 골라 ○표를 하세요.

> 다들 건강하게 잘 지내시죠? 저는 지구별에서 잘 지내고 있어요.
> 기쁜 소식을 전해 드리고 싶어서 편지를 써요. 오늘 글쓰기 대회에서 상을 받았어요.
>
> 
>

(1) 그림 그리는 실력이 좋아진 일 (　　　)

(2) 글쓰기 대회에서 상을 받은 일 (　　　)

글쓰기

3 다음 밑줄 그은 부분의 띄어쓰기를 바르게 고치고, 문장을 따라 쓰세요.

> 네가 <u>원하는대로</u> 해 줄게.

↓

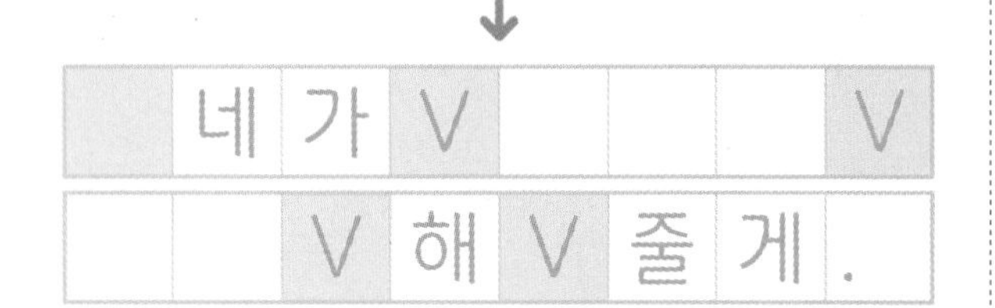

[4~5] 다음 편지를 읽고, 물음에 답하세요.

> 교장 선생님께
>
> 교장 선생님, 안녕하세요? 저는 4학년 2반 김희수라고 해요. 교장 선생님께 □□을/를 드리고 싶은 것이 있어서 편지를 써요.
>
> ㉠<u>일주일에 한 번 우리 지역에서 나는 특산물로 만든 급식을 먹을 수 있게 해 주세요.</u>
>
> ㉡<u>우리 농가에 도움을 줄 수 있고, 우리는 신선한 재료로 만든 음식을 먹을 수 있어서 좋아요.</u>
>
> 그럼 안녕히 계세요.
>
> 20○○년 5월 25일
>
> 김희수 올림

4 이 편지에서 빈칸에 들어갈 말로 알맞은 것은 무엇인가요? (　　　)

① 축하　② 사과
③ 안부　④ 부탁
⑤ 소개

5 이 편지에서 ㉠과 ㉡은 각각 무엇에 해당하는지 선으로 이으세요.

(1) ㉠ •　　• ① 부탁하는 까닭

(2) ㉡ •　　• ② 부탁하는 말

점수

▶정답 및 해설 29쪽

6 **다음 글에서 ㉠과 뜻이 비슷한 낱말은 무엇인가요? (　　　　)**

> 아침부터 엄마와 아빠께서는 언니의 졸업식에 참석하시기 위해 분주하셨다. 나는 며칠 전부터 액세서리 ㉠가게에 가서 언니에게 줄 선물을 고르느라 골머리를 썩였다. 언니가 꼭 마음에 들어할 선물을 고르고 싶었기 때문이다.

① 식당　② 상점
③ 학원　④ 극장
⑤ 공원

글쓰기

7 **다음은 무엇을 축하하는 편지인지 빈칸에 알맞은 말을 쓰세요.**

> 언니, 안녕? 나 선영이야.
> 초등학교 졸업을 정말 축하해.
> 6년 동안 열심히 학교를 다닌 언니가 자랑스럽고 중학교에 가서도 잘 적응하며 지냈으면 좋겠어.
> 그럼 우리 앞으로도 사이좋은 자매로 잘 지내자. 안녕.
> 20○○년 2월 16일
> 언니를 사랑하는 동생 선영이가

• 언니의 초등학교 [　][　]을 축하하는 편지이다.

8 **다음 편지에는 어떤 마음이 담겨 있는지 알맞은 것에 ○표를 하세요.**

> 할아버지, 안녕하세요? 건강하게 잘 지내시죠?
> 보내 주신 사과는 맛있게 잘 먹었어요.
> 힘들게 농사지으신 사과를 보내 주셔서 정말 감사해요.

할아버지께 (미안한 , 감사한) 마음

[9~10] 다음 편지를 읽고, 물음에 답하세요.

> 김치는 소금에 절인 배추나 무 등을 고춧가루, 파, 마늘 등의 양념에 버무린 뒤 발효를 시킨 음식이야. 대표적인 발효 식품인 김치는 우리의 건강에도 아주 좋아.
> 김치는 재료와 조리 방법에 따라 많은 종류가 있어. 배추김치, 열무김치, 깍두기, 동치미, 갓김치, 오이소박이 등 아주 다양하고 맛도 다 달라.

▲ 배추김치

▲ 깍두기

9 **이 편지는 무엇에 대해 소개하는 편지인지 알맞게 말한 친구의 이름을 쓰세요.**

> **성민:** 한국의 문화재에 대해 소개하는 편지야.
> **유정:** 한국을 대표하는 것 중 김치에 대해 소개하는 편지야.

(　　　　　　　)

10 **김치는 어떤 식품이라고 하였는지 찾아 쓰세요.**

[　][　] 식품

4주

똑똑한 하루 글쓰기 한권 끝!

글쓰기 공부 하느라 수고했어요.
교재를 꾸준히 잘 풀었는지 돌아보고 ◯표를 하세요.

약속한 사람 ____________

첫째, 하루하루 빠짐없이 꾸준히 공부했나요?	예	아니요
둘째, 하루 글쓰기 문제를 끝까지 다 풀었나요?	예	아니요
셋째, 또박또박 바르게 글씨를 썼나요?	예	아니요

아쉽고 부족한 부분을 스스로 돌아보고,
다음 단계를 공부할 때에는 더 열심히 해 봐요!

기초 학습능력 강화 프로그램

매일 조금씩 **공부력 UP**

똑똑한 하루
독해&어휘

쉽다!
10분이면 하루치 공부를 마칠 수 있는 커리큘럼으로, 아이들이 쉽고 재미있게 독해&어휘에 접근할 수 있도록 구성

재미있다!
교과서는 물론 생활 속에서 쉽게 접할 수 있는 다양한 소재를 활용해 흥미로운 학습 유도

똑똑하다!
초등학생에게 꼭 필요한 상식과 함께 창의적 사고력 확장을 돕는 게임 형식의 구성으로 독해력&어휘력 학습

공부의 핵심은 독해!
예비초~초6 / 총 6단계, 12권

독해의 시작은 어휘!
예비초~초6 / 총 6단계, 6권

쉽다!

10분이면 하루치 공부를 마칠 수 있는 커리큘럼으로,
아이들이 초등 학습에 쉽고 재미있게 접근할 수 있도록 구성하였습니다.

재미있다!

교과서는 물론 생활 속에서 쉽게 접할 수 있는 다양한 소재와
재미있는 게임 형식의 문제로 흥미로운 학습이 가능합니다.

똑똑하다!

초등학생에게 꼭 필요한 학습 지식 습득은 물론
창의력 확장까지 가능한 교재로 올바른 공부 습관을 가지는 데 도움을 줍니다.

기초
학습능력 강화
프로그램

똑똑한
하루 글쓰기

천재교육

정답 및 해설 포인트 3가지

- 혼자서도 이해할 수 있는 친절한 문제 풀이
- 문제 해결에 도움을 주는 '더 알아보기'와 틀린 부분을 짚어 주는 '왜 틀렸을까?'
- 예시 답안과 단계별 채점 기준 제시로 실전 서술형 문항 완벽 대비

똑 똑 한

하루 글쓰기

정답 및 해설

10~11쪽 　1주에는 무엇을 공부할까? ❷

1-1 (3) ○　　1-2 채민
2-1 (2) ○　　2-2 근 거

1-1 어떤 문제에 대하여 다른 사람을 설득하기 위해 자신의 주장과 근거를 쓴 글은 주장하는 글입니다.

1-2 제시된 글은 주장하는 글의 처음 부분입니다.

2-1 주장하는 글의 가운데 부분에는 주장을 뒷받침하는 근거를 씁니다.

왜 틀렸을까?
(1)은 주장하는 글의 처음 부분에, (3)은 주장하는 글의 끝부분에 씁니다.

2-2 제시된 내용은 '우리말을 바르게 사용하자.'라는 주장을 뒷받침하는 근거에 해당합니다.

13쪽 　똑똑한 하루 글쓰기 미리 보기

– 설 득, – 문 제, – 주 장

14~15쪽 　똑똑한 하루 글쓰기

1 다른 사람의 글을 베껴 숙제로 제출하고 허락 없이 노래를 인터넷에 올리는 등 저작권을 침해하는 일이 늘고 있다.

2 다른 사람의 저작권을 인정하고 지켜 주자.

3 ❶다른∨사람의∨글을∨베껴∨숙제로∨제출하고∨허락∨없이∨노래를∨인터넷에∨올리는∨등∨저작권을∨침해하는∨일이∨늘고∨있다. ❷다른∨사람의∨저작권을∨인정하고∨지켜∨주자.

1 저작권을 침해하는 문제 상황이 나타나 있습니다.

2 저작권을 침해하는 문제 상황을 해결하기 위해서는 '다른 사람의 저작권을 인정하고 지켜 주자.'라는 주장을 할 수 있습니다.

3 1에서 쓴 문제 상황과 2에서 쓴 주장을 모두 넣어 주장하는 글의 처음 부분에 들어갈 내용을 씁니다.

채점 기준
문제 상황과 그에 알맞은 주장을 써서 주장하는 글의 처음 부분에 들어갈 내용을 잘 썼으면 정답입니다.

16쪽 　똑똑한 하루 글쓰기 고쳐쓰기

1 척척박사로서

2 다른∨사람의∨글을∨베껴∨숙제로∨제출하는∨것은∨저작권∨침해야!

1 '척척박사'는 지위나 신분 또는 자격을 나타내므로 '척척박사로서'와 같이 써야 합니다.

2 '제출을 하다'가 '제출하다'로 낱말과 낱말이 만나 하나의 낱말이 되었으므로 붙여 써야 합니다.

17쪽 　똑똑한 하루 글쓰기 마무리

❶음식물∨쓰레기로∨인해∨여러∨가지∨문제가∨발생하고∨있다. 이와∨같은∨문제를∨해결하기∨위해서∨❷급식을∨남기지∨말자.

○ 만화에 나타난 문제 상황과 그와 같은 문제 상황을 해결할 수 있는 주장을 정리하여 각각 써 봅니다.

채점 기준

구분	답안 내용	
평가 기준	❶에 문제 상황, ❷에 문제 상황에 알맞은 주장을 모두 알맞게 썼습니다.	상
	❶과 ❷ 모두 썼지만 맞춤법이 틀리거나 문장이 부자연스러운 부분이 있습니다.	중
	❶과 ❷ 중 한 가지만 답을 썼습니다.	하

2일

19쪽

똑똑한 하루 글쓰기 미리 보기

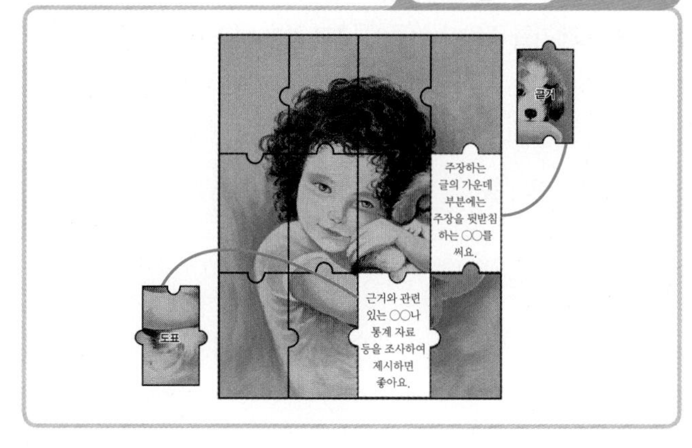

20~21쪽

똑똑한 하루 글쓰기

1 동물도 하나의 생명이기 때문에 물건 취급을 하며 사고파는 것은 결코 옳지 않다.

2 반려동물을 입양하면 버려진 반려동물의 죽음을 막을 수도 있다.

3 동물도 하나의 ❶ 예 생명이기 때문에 물건 취급을 하며 사고파는 것은 결코 옳지 않다. 동물들을 사고팔기 위해 철창에 가둬 두고 일생 새끼만 낳게 하는 곳이 있다고 한다. 동물을 하나의 생명으로 존중하지 않으면 인간에 대한 존중도 어려워진다. / 또 반려동물을 입양하면 ❷ 예 버려진 반려동물의 죽음을 막을 수도 있다. 이 도표를 보면 주인에게 버려지거나 주인을 잃어버린 동물들이 구조되더라도 질병 등의 문제로 자연사하거나 동물 안락사를 당해 46.6퍼센트나 죽었다는 것을 알 수 있다.

1 동물도 하나의 생명이기 때문에 물건 취급을 하며 사고팔지 말아야 합니다.

2 반려동물을 입양하면 버려진 반려동물의 죽음을 막을 수도 있다는 좋은 점이 있습니다.

3 '반려동물을 사지 말고 입양하자.'라는 주장에 알맞은 근거를 두 가지 써 봅니다.

채점 기준

반려동물을 사지 말고 입양해야 하는 까닭을 두 가지 모두 알맞게 써넣어 근거를 완성했으면 정답입니다.

22쪽

똑똑한 하루 글쓰기 고쳐쓰기

1 유기되거나

2 이∨문제는∨결코∨어렵지∨않아.

1 '버려지거나'라는 낱말은 '유기되거나'라는 낱말과 바꾸어 써도 문장의 뜻이 변하지 않습니다.

2 '결코'는 '-지 않다'나 '안'과 같은 말과 어울려 쓸 수 있기 때문에 '결코 어려워'를 '결코 어렵지 않아'와 같이 고쳐 써야 합니다.

더 알아보기

'결코'와 같이 '전혀', '별로'도 '-지 않다', '-지 못하다', '안', '못'과 같은 말과 어울려 씁니다.

23쪽

똑똑한 하루 글쓰기 마무리

우리말을 바르게 사용하지 않으면 ❶ 예 뜻이 통하지 않을 수 있다. 예를 들어, '삼김(삼각김밥)'과 같은 줄임 말이나 '노잼(재미없다)'과 같은 신조어를 사용할 경우 원래의 뜻을 알지 못하는 사람은 말의 뜻을 이해하지 못할 수 있다.

또 우리말을 바르게 사용하지 않으면 ❷ 예 말에 담긴 우리의 정신이 훼손될 수 있다. 말에는 그 말을 쓰는 사람의 정신이 깃들어 있다. 우리말을 바르게 사용하려는 마음을 갖고 노력해야만 우리말에 담긴 우리의 정신 역시 바르게 지킬 수 있는 것이다.

- '우리말을 바르게 사용하자.'라는 주장에 알맞은 근거를 두 가지 써 봅니다.

채점 기준

구분	답안 내용	
평가 기준	우리말을 바르게 사용해야 하는 까닭을 두 가지 모두 알맞게 썼습니다.	상
	우리말을 바르게 사용해야 하는 까닭을 두 가지 모두 썼지만 맞춤법이 틀리거나 문장 표현이 자연스럽지 않은 부분이 있습니다.	중
	우리말을 바르게 사용해야 하는 까닭을 한 가지만 알맞게 썼습니다.	하

3일

25쪽

똑똑한 하루 글쓰기 미리 보기

❶ 요약
❷ 강조
❸ 긍정

26~27쪽

똑똑한 하루 글쓰기

1 아무렇게나 버려진 쓰레기는 우리의 기분과 환경을 해친다.
2 쓰레기를 정해진 곳에 제대로 버리는 작은 실천을 통해 우리의 기분과 환경을 지키자.
3 이처럼 아무렇게나 버려진 쓰레기는 ❶ 예 우리의 기분과 환경을 해친다. 쓰레기를 ❷ 예 정해진 곳에 제대로 버리는 작은 실천을 통해 우리의 기분과 환경을 지키자.

1 「쓰레기를 정해진 곳에 제대로 버리자」라는 주장하는 글을 읽고, 글 내용을 요약하여 정리해 봅니다.

더 알아보기

쓰레기 종량제란 쓰레기 배출량에 따라 수수료가 부과되는 제도입니다. 우리나라에서는 1995년부터 전국적으로 실시되었는데, 지정된 규격의 쓰레기봉투를 판매하고, 그 봉투에만 쓰레기를 담아 버리도록 하는 방식을 택하고 있습니다. 재활용이 가능한 쓰레기는 규격 봉투에 담지 않아도 되기 때문에 쓰레기의 양을 줄이고, 재활용률을 높이는 효과가 있습니다.

2 글쓴이의 주장을 강조하는 문장을 정리해 봅니다.

3 「쓰레기를 정해진 곳에 제대로 버리자」라는 주장하는 글의 끝부분에 들어갈 내용을 써 봅니다.

채점 기준

글 내용을 요약하고 주장을 다시 한번 강조하여 썼으면 정답입니다.

28쪽

똑똑한 하루 글쓰기 고쳐쓰기

1 예 쓰레기를 종량제 봉투에 넣지 않고 버리거나 아무 곳에나 버리는 사람들이 늘고 있다.
예 쓰레기를 종량제 봉투에 넣지 않고 버리거나 아무 장소에나 버리는 사람들이 늘고 있다.

2 예 친구가 ∨ 듣기 ∨ 싫어하는 ∨ 별명을 ∨ 부르지 ∨ 말자.

1 낱말 '데'는 '곳'이나 '장소'의 뜻을 나타내기 때문에 '곳'이나 '장소'와 바꾸어 써도 문장의 뜻이 변하지 않습니다.

2 '친구가 듣기 싫어하는 별명을 부르지 말자.'와 같이 함께 하기를 요청하는 권유하는 문장으로 고쳐 쓸 수 있습니다.

29쪽

똑똑한 하루 글쓰기 마무리

예 조금만 주의하고 노력하면 건강한 디지털 문화를 만들 수 있다.

예 조금만 주의하고 노력하면 시간과 공간의 제약 없이 유익한 정보를 누릴 수 있다.

○ 누리 소통망을 올바르게 사용했을 때 나타날 수 있는 긍정적인 모습을 덧붙여 주장하는 글의 끝부분에 들어갈 내용을 완성해 봅니다.

채점 기준

구분	답안 내용	
평가 기준	두 예시 답 중 한 가지를 알맞게 썼습니다.	상
	두 예시 답 중 한 가지를 썼지만 맞춤법이나 원고지 쓰기에서 틀린 부분이 있습니다.	중
	글 내용과 상관없는 내용을 넣어 주장하는 글의 끝부분을 완성했습니다.	하

4일

31쪽 하루 글쓰기 미리 보기

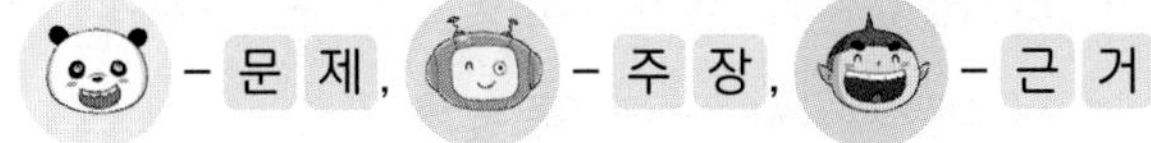

- 문제, - 주장, - 근거

32~33쪽 하루 글쓰기

1 일회용품의 사용이 점점 늘면서 지구와 우리의 몸이 병들고 있다. 일회용품의 사용을 줄이자.

2 ❶ 일회용품은 오랫동안 썩지 않아 환경을 오염시킨다. 버려진 일회용품이 땅속에서 썩는 데 종이컵은 20년 이상, 플라스틱 용기는 50~80년, 비닐봉지는 500년 이상 걸린다고 한다.

❷ 일회용품의 사용은 우리의 건강을 해친다. 일회용품을 만드는 비닐이나 플라스틱 등에서 환경 호르몬이 나오는데 일회용품을 사용하면 이러한 물질이 우리 몸속으로 들어가 암, 아토피, 알레르기 등이 생길 수 있다.

3 예 편하다는 이유로 일회용품을 자주 사용하면서 환경이 오염되고 우리의 몸이 병들고 있다. 일회용품의 사용을 줄여 지구와 우리의 몸을 지키자.

1 일회용품의 사용이 점점 늘면서 지구와 우리의 몸이 병드는 것이 문제 상황이므로 일회용품의 사용을 줄이자는 주장을 할 수 있습니다.

더 알아보기

주장하는 글을 쓸 때에 적절한 표현 방법

- 객관적인 표현을 써야 합니다.
- 자신의 견해나 관점을 정확하게 씁니다.
- 어떤 사실을 딱 잘라 판단하거나 결정적인 표현은 쓰지 않습니다.

2 '일회용품의 사용을 줄이자.'라는 주장을 뒷받침하는 근거를 두 가지 써 봅니다.

3 글 내용을 요약하고 주장을 다시 한번 강조하는 말 등을 써 봅니다.

채점 기준

일회용품의 사용을 줄여야 하는 까닭을 요약하고 '일회용품의 사용을 줄이자.'라는 주장을 다시 한번 강조하여 썼거나, 일회용품의 사용을 줄였을 때 나타날 수 있는 긍정적인 모습을 썼으면 정답입니다.

34쪽 하루 글쓰기 고쳐쓰기

1 오랫동안

2 내∨방을∨청소하는∨데∨1시간이∨걸렸다.

1 '오랫동안'은 '오래'와 '동안'이 합쳐져 한 낱말이 되면서 'ㅅ'이 들어갔기 때문에 '오랫동안'으로 쓰는 것이 맞습니다.

2 '일'이나 '것'의 뜻을 나타내는 '데'는 앞에 오는 다른 낱말과 함께 써야 하고, 쓸 때에는 띄어 써야 하기 때문에 '청소하는데'는 '청소하는∨데'로 띄어 써야 합니다.

35쪽 하루 글쓰기 마무리

❶ 초등학교에서 일어나는 안전사고가 매년 증가하고 있다.
❷ 학교에서 이동할 때 뛰지 않아야 한다.
❸ 학교에서 일어나는 안전사고를 예방하는 방법을 잘 알고 실천하는 노력이 필요하다.

○ ❶에는 주장하는 글의 처음 부분에 들어갈 문제 상황을, ❷에는 가운데 부분에 들어갈 주장을 뒷받침하는 근거를, ❸에는 끝부분에 들어갈 주장을 강조하는 말을 써야 합니다.

채점 기준

구분	답안 내용	
평가 기준	❶~❸ 모두 알맞게 썼습니다.	상
	❶~❸ 중 두 가지만 알맞게 썼습니다.	중
	❶~❸ 중 한 가지만 알맞게 썼습니다.	하

5일

37쪽

똑똑한 하루 글쓰기 미리 보기

회의
토론
토의
근거
정보
이해
설득
인사
찬성
반대
감동

38~39쪽

똑똑한 하루 글쓰기

1 (1) 수업 시간에 모르는 낱말이나 궁금한 점을 [쉽][고] 빠르게 찾아볼 수 있습니다.

(2) 학교에 있는 동안 부모님과 [연][락]하는 수단으로 사용할 수 있습니다.

2 학교 안에서 스마트폰을 사용하면 수업 시간에 모르는 낱말이나 궁금한 점을 [쉽][고] [빠][르][게] [찾][아][볼] 수 있고, 학교에 있는 동안 [부][모][님][과] [연][락][하][는] 수단으로 사용할 수 있습니다.

3

	학	교	∨	안	에	서	∨	스	마	트	폰
을	∨	사	용	하	면	∨	수	업	∨	시	간
에	∨	모	르	는	∨	낱	말	이	나	∨	궁
금	한	∨	점	을	∨	쉽	고	∨	빠	르	게 ∨
찾	아	볼	∨	수	∨	있	고	,	학	교	에 ∨
있	는	∨	동	안	∨	부	모	님	과	∨	연
락	하	는	∨	수	단	으	로	∨	사	용	할 ∨
수	∨	있	습	니	다	.					

1 학교 안에서의 스마트폰 사용을 허락해야 하는 까닭을 두 가지 정리하여 써 봅니다.

2 1에서 쓴 내용을 한 문장으로 정리하여 써 봅니다.

3 2에서 쓴 내용을 넣어 토론에서 주장을 펼치는 말을 완성해 봅니다.

채점 기준

학교 안에서의 스마트폰 사용을 허락해야 하는 근거를 두 가지 모두 알맞게 썼으면 정답입니다.

40쪽

똑똑한 하루 글쓰기 고쳐쓰기

1 [어][떻][게]

2 ㉔

	왜	냐	하	면	∨	스	마	트	폰	을	∨
많	이	∨	사	용	하	면	∨	시	력	이	∨
나	빠	지	기	∨	때	문	입	니	다	.	

1 '의견이나 상태, 성질 등이 어찌 되어 있다.'를 뜻하는 '어떻다'의 '어떻-'에 '게'가 합쳐진 말인 '어떻게'로 고쳐 써야 합니다.

2 '왜냐하면'과 어울리는 말인 '~ 때문입니다'를 넣어 고쳐 써야 합니다.

41쪽

똑똑한 하루 글쓰기 마무리

㉔

	학	교		안	에	서		스	마	트	폰
을		사	용	하	면		학	생	들	이	
수	업	에		집	중	하	지		못	해	
학	업	에		방	해	가		될		수	
있	습	니	다	.	또		학	교	에	서	까
지		스	마	트	폰	을		사	용	하	면
시	력	이		나	빠	지	거	나		거	북
목		증	후	군		같	은		병	에	
걸	릴		수	도		있	습	니	다	.	

- 학교 안에서의 스마트폰 사용을 제한해야 한다는 주장을 뒷받침하는 근거를 써넣어 토론에서 주장을 펼치는 말을 완성해 봅니다.

채점 기준

구분	답안 내용	
평가 기준	학교 안에서의 스마트폰 사용을 제한해야 하는 까닭을 두 가지 모두 알맞게 써넣어 주장을 펼치는 말을 완성했습니다.	상
	학교 안에서의 스마트폰 사용을 제한해야 하는 까닭을 두 가지 모두 썼지만 맞춤법이나 원고지 쓰기에서 틀린 부분이 있거나 표현이 매끄럽지 않은 부분이 있습니다.	중
	학교 안에서의 스마트폰 사용을 제한해야 하는 까닭을 한 가지만 썼습니다.	하

특강 똑똑한 하루 창의·융합·코딩

43쪽

“고래 싸움에 새우 등 터진다”더니 형들이 싸우는 바람에 나까지 떡볶이를 못 먹게 됐다.

44쪽

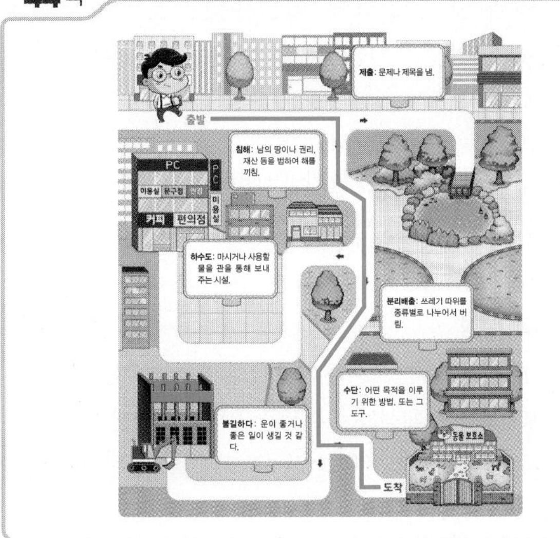

- ‘문제나 제목을 냄.’이라는 뜻의 낱말은 ‘제출’이 아니라 ‘출제’입니다. ‘마시거나 사용할 물을 관을 통해 보내 주는 시설.’이라는 뜻의 낱말은 ‘하수도’가 아니라 ‘상수도’입니다. ‘운이 좋거나 좋은 일이 생길 것 같다.’라는 뜻의 낱말은 ‘불길하다’가 아니라 ‘길하다’입니다. 낱말 ‘침해’, ‘분리배출’, ‘수단’의 뜻은 알맞게 나와 있습니다.

왜 틀렸을까?
- **제출**: 어떤 안건이나 의견, 서류 등을 내놓음.
- **하수도**: 빗물이나 집, 공장 등에서 쓰고 버리는 더러운 물이 흘러가도록 만든 시설.
- **불길하다**: 운이 좋지 않고 나쁜 일이 생길 것 같은 느낌이 있다.

45쪽

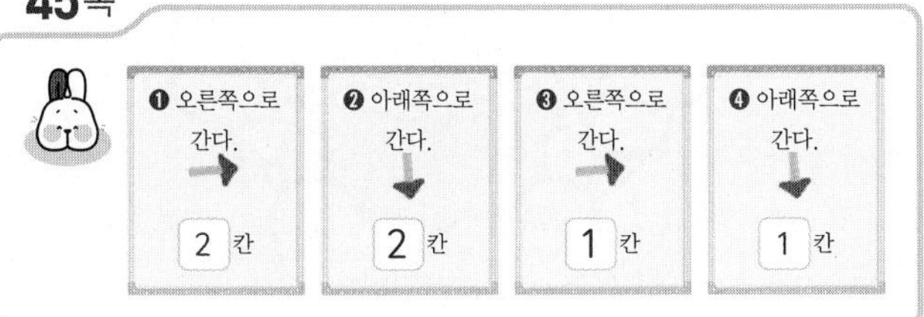

- 코딩 명령에 따라 이동하면 다음과 같습니다.

46쪽

식: 20 × 3 = 60
답: 쓰레기의 총량은 60 리터예요.

- 20리터짜리 쓰레기 종량제 봉투 3개에 쓰레기가 담겨 있으므로 쓰레기 총량은 ‘20 × 3 = 60’과 같이 구할 수 있습니다.

47쪽

- 과일 가게에서는 비닐봉지 대신 장바구니를 사용했고, 커피 가게에서는 일회용 컵 대신 자신의 컵을 사용했습니다.

평가 누구나 100점 테스트

48~49쪽

1 설득 2 (1) ○

3 | |다|른|V|사|람|의|V|
|---|---|---|---|---|---|---|---|
|저|작|권|을|V|인|정|하|
|고|V|지|켜|V|주|자|.|

4 ⑤ 5 달래

6 ② 7 환경

8 일회용품

9 | |일|회|용|품|은|V|오|
|---|---|---|---|---|---|---|---|
|랫|동|안|V|썩|지|V|않|
|아|V|환|경|을|V|오|염|
|시|킨|다|.| | | | |

10 토론

1 주장하는 글은 어떤 문제에 대하여 다른 사람을 설득하기 위해 자신의 주장과 근거를 쓴 글입니다.

왜 틀렸을까?

다른 사람을 이해시키기 위한 목적으로 쓰는 글은 설명하는 글입니다.

2 '제출하고'는 한 낱말이므로 붙여 써야 합니다.

3 이 글에 나타난 글쓴이의 주장은 '다른 사람의 저작권을 인정하고 지켜 주자.'입니다.

더 알아보기

이 글은 주장하는 글의 처음 부분으로 첫 번째 문장은 문제 상황에 해당하고, 두 번째 문장은 주장에 해당합니다.

4 '결코'는 '-지 않다'나 '안'과 같은 말과 어울려 쓸 수 있기 때문에 '옳지 않다'가 들어가야 합니다.

5 글 ㈏의 첫 번째 문장에 주장을 뒷받침하는 근거가 제시되어 있습니다.

6 '곳'은 '일정한 장소나 위치.'라는 뜻이 있는 낱말이므로 뜻이 비슷한 낱말은 '장소'입니다.

7 이 글은 주장하는 글의 가운데 부분입니다. 이 글에서는 '쓰레기를 정해진 곳에 제대로 버리자.'라는 주장을 뒷받침하는 근거로 쓰레기를 아무렇게나 버리면 우리의 기분이 나빠지고 환경이 오염될 수 있다는 내용을 들었습니다.

8 이 글의 첫 번째 문단에 '일회용품의 사용을 줄이자.'라는 주장이 제시되어 있습니다.

9 이 글의 두 번째 문단에 '일회용품은 오랫동안 썩지 않아 환경을 오염시킨다.'라는 근거가 제시되어 있습니다.

10 어떤 문제를 놓고 찬성과 반대로 나뉘어 상대방을 설득하는 말하기를 토론이라고 합니다.

더 알아보기

토론의 특성

- 토론 참여자에는 토론을 이끌어 나가는 사회자, 토론 주제에 대하여 찬성하는 주장을 펼치는 찬성편 토론자, 토론 주제에 대하여 반대하는 주장을 펼치는 반대편 토론자, 주장과 근거의 타당성을 따져 토론의 승패를 가리는 판정단이 있습니다.
- 토론자는 토론 주제에 대한 주장과 이를 뒷받침하는 근거를 함께 제시해야 합니다.
- '주장 펼치기', '반론하기', '주장 다지기', '판정하기'의 과정으로 이루어집니다.

52~53쪽 2주에는 무엇을 공부할까? ❷

1-1 (1) ○ 1-2 안 내 문
2-1 (2) × 2-2 (1) ○

1-1~1-2 도서 바자회 행사 등 어떤 내용을 다른 사람에게 소개하고 알려 주기 위한 목적으로 쓰는 실용적인 글은 안내문입니다.

2-1~2-2 금지 안내문을 쓸 때에는 어떤 행위를 해서는 안 되는지 써야 합니다.

55쪽 똑똑한 하루 글쓰기 미리 보기

❶ 안 내 문
❷ 소 개
❸ 장 소

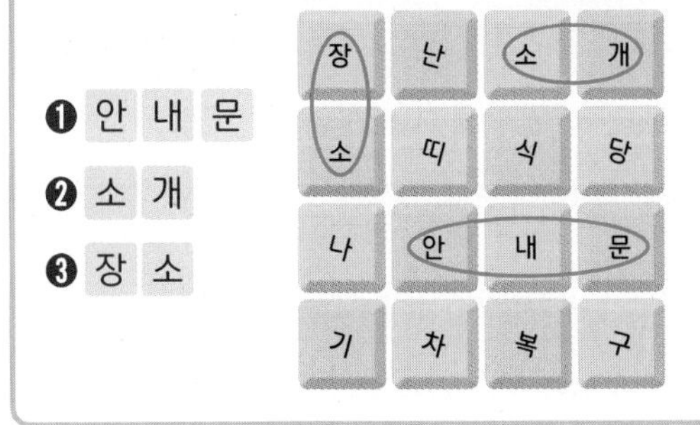

장	난	소	개
소	띠	식	당
나	안	내	문
기	차	복	구

56~57쪽 똑똑한 하루 글쓰기

1 사랑 나눔 도 서 바자회
2 천재초등학교 학생들이 기부한 책들을 모아 판매하고, 그 수 익 금 으 로 불 우 이 웃 을 도 울 예정입니다.
3 **사랑 나눔 ❶ 도 서 바자회**

천재초등학교 학생들이 ❷ 예 기부한 책들을 모아 판매하고, 그 수익금으로 불우 이웃을 도울 예정입니다.
많은 참여 부탁드립니다.
- **때**: 20○○년 5월 1일 금요일 오후 2시
- **장소**: 천재초등학교 운동장

1 선생님께서 하신 말씀으로 보아 도서 바자회 행사가 열린다는 것을 알 수 있습니다.

2 도서 바자회 행사의 수익금으로 불우 이웃을 도울 예정이라고 소개하는 내용을 쓸 수 있습니다.

3 도서 바자회 행사 안내문을 완성해 봅니다.

채점 기준

어떤 행사인지와 그 행사에 대해 소개하는 내용을 모두 잘 썼으면 정답입니다.

58쪽 똑똑한 하루 글쓰기 고쳐쓰기

1 이번 주 금요일 오후 2시에 학교 운동장에서 책 바자회 행사를 열 거예요.
2 책을∨한∨권씩∨가져와∨기부해∨주세요.

1 '도서'와 뜻이 비슷한 낱말은 '책'입니다.

2 '권'은 단위를 나타내는 말이므로 앞말과 띄어 써야 하고, '씩'은 뜻을 더하는 말로 앞말과 붙여 써야 하므로 '한∨권씩'으로 고쳐 써야 합니다.

59쪽 똑똑한 하루 글쓰기 마무리

❶ 천재초등학교 도서관에서 독서 퀴즈 대회를 개최합니다.
❷ 이번 달 추천 도서 5권을 읽고, 이와 관련된 퀴즈를 풀면 됩니다.

○ 독서 퀴즈 대회가 어떤 행사인지 생각하여 행사 안내문을 완성해 봅니다.

채점 기준

구분	답안 내용	
평가 기준	❶에 독서 퀴즈 대회 개최 소식을, ❷에 그것을 소개하는 내용을 모두 알맞게 썼습니다.	상
	❶과 ❷를 모두 썼지만 맞춤법이나 원고지 쓰기에서 틀린 부분이 있습니다.	중
	❶과 ❷ 중 한 가지만 알맞게 썼습니다.	하

2일

61쪽

똑똑한 하루 글쓰기 미리 보기

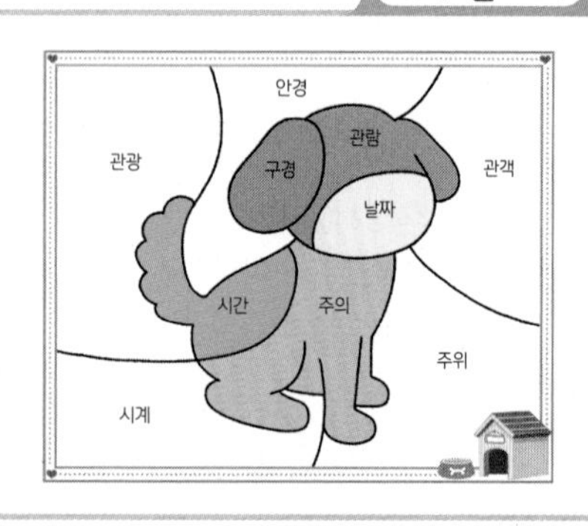

62~63쪽

똑똑한 하루 글쓰기

1 미술 전시회 [초][대][장]을 전시회장 입구에서 보여 주어야 입장할 수 있습니다.

2 작품을 눈으로만 감상하고 [손][으][로] [만][지][지] 말아 주십시오.

3

천재초등학교 미술 전시회 관람 안내

- **관람 날짜와 관람 시간:** 20○○년 5월 8일 오전 10시 ~ 오후 6시
- **관람 전에 알아 두어야 할 내용:** 각 반 담임 선생님께 받은 ❶ 예 미술 전시회 초대장을 전시회장 입구에서 보여 주어야 입장할 수 있습니다.
- **관람 시 주의해야 할 점:**

	❷ 예 작품을 눈으로만 감상하고 손으로 만지지 말아 주십시오.
	전시회장에서 시끄럽게 떠들거나 뛰지 말아 주십시오.

1 미술 전시회장에 입장하기 위해서는 초대장을 전시회장 입구에서 보여 주어야 합니다.

2 미술 전시회를 관람할 때 주의해야 할 점으로 작품을 손으로 만지지 말아 달라는 내용을 씁니다.

3 미술 전시회 관람 안내문을 완성해 봅니다.

채점 기준

❶에는 관람 전에 알아 두어야 할 내용을, ❷에는 관람할 때 주의해야 할 점을 모두 알맞게 썼으면 정답입니다.

64쪽

똑똑한 하루 글쓰기 고쳐쓰기

1 관람 [시][간]: 오전 10시 ~ 오후 6시

2
	전	시	회	장	에	서	∨	시	끄	럽	게	∨
떠	들	거	나	∨	뛰	지	∨	말	아	∨	주	
십	시	오	.									

1 오전 10시부터 오후 6시까지는 관람을 하기로 정하여진 동안을 나타내므로 '관람 시각'에서 '시각'을 '시간'으로 고쳐 써야 합니다.

더 알아보기

보통 시각은 정확히 '몇 시 몇 분의 때', 시간은 '몇 시 몇 분에서 몇 시 몇 분까지 시간의 양'을 나타냅니다.

2 '주십시오'가 맞춤법에 맞는 말입니다.

65쪽

똑똑한 하루 글쓰기 마무리

천재초등학교 연극 관람 안내

- **관람 날짜와 시간:** 20○○년 7월 16일 오후 1시 ~ 오후 2시 30분
- **관람 전에 알아 두어야 할 내용:** 공연장 입구에 마련된 매표소에서 ❶ [표][를] [구][입][해][야] 관람할 수 있습니다.
- **관람 시 주의해야 할 점:**
  - 지정된 좌석에 앉아 주십시오.
  - 공연 중에는 ❷ [휴][대][전][화][를] [꺼] 주십시오.

● 연극 관람 안내문을 완성해 봅니다.

채점 기준

구분	답안 내용	
평가 기준	❶과 ❷를 모두 알맞게 썼습니다.	상
	❶과 ❷를 모두 썼지만 맞춤법이 틀린 부분이 있습니다.	중
	❶과 ❷ 중 하나만 알맞게 썼습니다.	하

3일

67쪽 똑똑한 하루 글쓰기 미리 보기

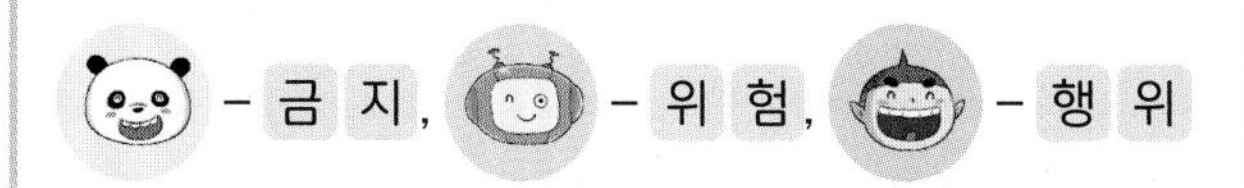

68~69쪽 똑똑한 하루 글쓰기

1 (1) [사][람]이 다치는 사고가 발생할 수 있습니다.
(2) 창문이나 전등이 [파][손]되는 사고가 발생할 수 있습니다.

2 교실 안에서 공놀이를 하다가 공에 맞아 [사][람]이 다치거나 창문이나 [전][등][이] [파][손][되][는] 사고가 발생할 수 있습니다.

3

	교	실	V	안	에	서	V	공	놀	이	를	V
하	다	가	V	공	에	V	맞	아	V	사	람	
이	V	다	치	거	나	V	창	문	이	나	V	
전	등	이	V	파	손	되	는	V	사	고	가	V
발	생	할	V	수	V	있	습	니	다	.		

1 교실 안에서 공놀이를 하면 사람이 다칠 수도 있고 창문이나 전등이 파손될 수도 있습니다.

2 1에서 쓴 위험한 점을 한 문장으로 씁니다.

3 교실 안 공놀이 금지 안내문을 완성해 봅니다.

채점 기준

교실 안에서 공놀이를 하면 어떤 위험한 점이 있는지 써넣어 금지 안내문을 완성했으면 정답입니다.

70쪽 똑똑한 하루 글쓰기 고쳐쓰기

1 [눈][살]

2

	급	식	을	V	받	을	V	때	에	V	새
치	기	를	V	삼	가	V	주	시	기	V	바
랍	니	다	.								

1 '두 눈썹 사이에 있는 주름.'이라는 뜻의 낱말은 [눈쌀]이라고 발음되지만 '눈살'이라고 써야 합니다.

2 '삼가하다'는 '삼가다'를 잘못 쓴 것이므로 '삼가해'를 '삼가'로 고쳐 써야 합니다.

더 알아보기

'삼가'와 '삼가다'에 대해 더 알아보기

삼가	겸손하고 조심하는 마음으로 정중하게. 예 삼가 명복을 빕니다.
삼가다	• 몸가짐이나 언행을 조심하다. 예 할머니 앞에서 행동을 삼가거라. • 어떤 것을 피하거나 양이나 횟수를 적게 하다. 예 건강을 위해 과식을 삼가세요.

71쪽 똑똑한 하루 글쓰기 마무리

예

	밤		9	시		이	후	에	는		피
아	노	,		기	타		등	의		악	기
연	주	를		삼	가		주	십	시	오	.

● 밤 9시 이후에 악기 연주를 하지 말아 달라는 내용을 예의 바르게 써 봅니다.

채점 기준

구분	답안 내용	
평가 기준	악기 연주를 금지하는 문장을 예의 바르게 잘 썼습니다.	상
	악기 연주를 금지하는 문장을 썼지만 예의 바르지 않게 쓴 부분이 있거나 맞춤법이나 원고지 쓰기에 틀린 부분이 있습니다.	중
	악기 연주를 금지하는 내용과 관련 없는 문장을 썼습니다.	하

4일

73쪽

똑똑한 하루 글쓰기 미리 보기

74~75쪽

똑똑한 하루 글쓰기

1 ❷ 원하는 [메][뉴]와 수량을 선택하여 누른다.
❹ 결제 [방][법]을 선택하여 누른다.

2 ❷ 예 원하는 메뉴와 수량을 선택하여 누른다.
❹ 예 결제 방법을 선택하여 누른다.

1 현솔이가 어떤 차례로 설명한다고 하였는지 정리해 봅니다.

2 무인 자동 주문 기기의 이용 안내문을 완성합니다.

채점 기준

무인 자동 주문 기기를 이용하여 햄버거를 주문하는 방법을 차례대로 정리하여 안내문을 완성했으면 정답입니다.

76쪽

똑똑한 하루 글쓰기 고쳐쓰기

1 [결][제]

2

	할	머	니	,	제	가	V	무	인	V	자
동	V	주	문	V	기	기	의	V	이	용	V
방	법	V	안	내	문	을	V	써	서	V	드
릴	게	요	.								

1 물건값을 지불하는 상황이므로 낱말 '결제'를 사용하는 것이 맞습니다.

2 할머니와 같은 윗사람에게는 '제가'로 자신을 낮추어 표현해야 하고, '드릴께요'라고 소리 나더라도 '드릴게요'라고 쓰는 것이 맞습니다.

77쪽

똑똑한 하루 글쓰기 마무리

❶ 티켓 구매 단추를 선택하여 누른다.
❷ 관람할 영화를 선택하여 누른다.
❸ 원하는 좌석을 선택하여 누른다.

- 무인 자동 주문 기기를 이용하여 영화표를 구매하는 방법을 차례대로 정리하여 안내문을 완성합니다.

채점 기준

구분	답안 내용	
평가 기준	❶~❸ 모두 알맞게 썼습니다.	상
	❶~❸ 중 두 가지만 알맞게 썼습니다.	중
	❶~❸ 중 한 가지만 알맞게 썼습니다.	하

5일

79쪽

똑똑한 하루 글쓰기 미리 보기

– 빠 른, – 간 단,

– 그 림 말

80~81쪽

똑똑한 하루 글쓰기

1 (1) 학예회 연습 장소를 [강][당]에서 4학년 1반 교실로 변경합니다.
(2) 오후 2시까지 4학년 1반 [교][실]로 와 주세요.

2 ❶ 학예회 연습 장소를 [강][당]에서 4학년 1반 [교][실][로] [변][경][합][니][다].
❷ 오후 2시까지 4학년 1반 [교][실][로] [와] [주][세][요].

3

	❶학	예	회	V	연	습	V	장	소	를	V
강	당	에	서	V	4	학	년	V	1	반	V
교	실	로	V	변	경	합	니	다	.	❷오	후 V
2	시	까	지	V	4	학	년	V	1	반	V
교	실	로	V	와	V	주	세	요	.		

1 달래는 연습 장소를 강당에서 4학년 1반 교실로 변경해야겠다고 말했습니다.

2 **1**에서 쓴 내용을 두 문장으로 정리하여 써 봅니다.

3 **2**에서 쓴 문장을 넣어 4학년 1반 친구들에게 보낼 안내 문자 메시지를 완성해 봅니다.

채점 기준

학예회 연습 장소가 변경된 내용을 넣어 문자 메시지에 들어갈 내용을 잘 썼으면 정답으로 합니다.

82쪽 똑똑한 하루 글쓰기 고쳐쓰기

1 메 시 지

2
	얘	들	아	,	내	일	∨	오	후	∨	2
시	에	∨	강	당	에	서	∨	학	예	회	를 ∨
연	습	하	는	∨	것	∨	잊	지	∨	마	!

1 '어떤 사실을 알리거나 주장하거나 경고하기 위해 특별히 전하는 말.'이라는 뜻의 낱말은 '메시지'라고 써야 맞습니다.

더 알아보기

잘못 쓰기 쉬운 외래어 바르게 쓰기 ㉠

잘못 쓴 말	바르게 고친 말
로보트	로봇
케잌	케이크
까페	카페
컨텐츠	콘텐츠
쥬스	주스
후라이팬	프라이팬
비스켓	비스킷
텔레비젼	텔레비전
수퍼마켓	슈퍼마켓
도너츠	도넛
카페트	카펫

2 달래가 자신의 눈앞에 있는 친구들을 부르는 상황이므로 '얘들아'라고 써야 하고, 학예회 연습이 있다는 사실을 기억하라고 말하는 상황이므로 '잊지'를 써야 합니다.

83쪽 똑똑한 하루 글쓰기 마무리

㉠
	일	기		예	보	에	서		오	후	부
터		비	가		많	이		내	린	다	고
합	니	다	.	이	로		인	해		오	후
3	시	에		운	동	장	에	서		하	기
로		했	던		피	구		연	습	은	
취	소	되	었	습	니	다	.				

㉠
	일	기		예	보	에	서		오	후	부
터		비	가		많	이		내	린	다	고
합	니	다	.	이	로		인	해		오	후
3	시	에		운	동	장	에	서		하	기
로		했	던		옆		반	과	의		피
구		시	합	은		취	소	되	었	습	니
다	.										

● 변경되거나 취소된 정보가 무엇인지 생각해 보고, 안내 문자 메시지를 통해 전달하려는 내용을 써 봅니다.

채점 기준

구분	답안 내용	
평가 기준	먼저 안내 문자 메시지를 보내게 된 원인에 해당하는 말을 쓰고 그로 인한 결과를 써서 안내 문자 메시지를 알맞게 완성했습니다.	상
	먼저 안내 문자 메시지를 보내게 된 원인에 해당하는 말을 쓰고 그로 인한 결과를 써서 안내 문자 메시지를 완성했지만 맞춤법이나 원고지 쓰기에서 틀린 부분이 있습니다.	중
	보기 에서 원인이나 결과에 해당하는 내용 중 한 가지만 골라 문자 메시지를 썼습니다.	하

특강 똑똑한 하루 창의·융합·코딩

85쪽

"자라 보고 놀란 가슴 솥뚜껑 보고 놀란다"더니 개 인형만 보고도 사나운 개인 줄 알고 깜짝 놀랐다.

86쪽

'벌어들인 돈에서 돈을 버는 데 쓰인 금액을 빼고 남은 돈.'이라는 뜻의 낱말은 '비상금'이 아니라 '수익금'입니다. '행사나 공연 등이 열리는 장소 안으로 들어감.'이라는 뜻의 낱말은 '퇴장'이 아니라 '입장'입니다. '다르게 바꾸어 새롭게 고침.'이라는 뜻의 낱말은 '변신'이 아니라 '변경'입니다.

왜 틀렸을까?

- **비상금**: 뜻밖에 급한 일이 생겼을 때 쓰려고 따로 준비해 둔 돈.
- **퇴장**: 어떤 장소에서 물러남.
- **변신**: 몸의 모양이나 태도 따위를 바꿈.

87쪽

1시에 연극 공연 시간인 1시간 30분을 더하면 2시 30분이 됩니다. 따라서 연극이 끝나는 시각은 2시 30분입니다.

88쪽

숨어 있는 팝콘, 음료수, 안경, 오징어를 그림 속에서 찾아봅니다.

89쪽

4학년 1반 친구들에게 알립니다. 모임 장소를 매표소 앞에서 [매점] 앞으로 변경합니다. 모두 착오 없으시기를 바랍니다.

코딩 명령에 따라 이동하면 다음과 같습니다.

평가 누구나 100점 테스트

90~91쪽

1 (2) ○ **2** ④
3 기 부 **4** 초대장
5

	작	품	을	V	눈	으	로
만	V	감	상	하	고	V	손
으	로	V	만	지	지	V	말
아	V	주	십	시	오	.	

6 (2) ○ **7** ①
8 차례대로 **9** (3) ○
10

	오	후		2	시	까	지
4	학	년		1	반		교
실	로		와		주	세	요	.

1 안내문은 어떤 내용을 다른 사람에게 소개하고 알려 주기 위한 목적으로 쓰는 실용적인 글입니다.

왜 틀렸을까?
어떤 문제에 대하여 다른 사람을 설득하기 위해 자신의 주장과 근거를 쓴 글은 주장하는 글입니다.

2 기부한 책들을 모아 판매하는 행사는 도서 바자회입니다.

3 '다른 사람이나 기관, 단체 등을 도울 목적으로 재산을 대가 없이 내놓음.'이라는 뜻의 낱말은 '기부'입니다.

4 관람 전에 알아 두어야 할 내용을 보면 각 반 담임 선생님께 받은 미술 전시회 초대장을 전시회장 입구에서 보여 주어야 입장할 수 있습니다.

5 '주십시요'는 '주십시오'라고 고쳐 써야 합니다.

6 이 글에서는 교실 안에서 공놀이를 삼가 달라고 하였습니다.

7 '삼가하다'는 '삼가다'를 잘못 쓴 것이므로 '삼가해'를 '삼가'로 고쳐 써야 합니다.

8 이용 방법 안내문을 쓸 때에는 이용 방법을 차례대로 쓰고, 알려 주는 내용을 이해하기 쉽게 써야 합니다.

9 학예회를 연습할 장소가 강당에서 4학년 1반 교실로 변경되었다는 내용의 문자 메시지입니다. 따라서 알려 주는 정보는 모임 장소 변경이라고 할 수 있습니다.

더 알아보기
온라인 대화의 뜻과 특징
- 문자를 보내거나 실시간 메신저 등으로 대화를 하는 것을 말합니다.
- 모두 다른 장소에 있어도 대화할 수 있습니다.
- 직접 만나지 않고도 이야기할 수 있습니다.

10 학예회 연습 장소가 강당에서 4학년 1반 교실로 변경되었다고 하였으므로 모여야 할 장소는 4학년 1반 교실입니다.

더 알아보기
온라인 대화를 할 때 지켜야 할 예절
- 바른 말을 사용해야 합니다.
- 상대가 보이지 않더라도 대화 전에 인사를 하고 끝날 때에도 인사를 합니다.
- 얼굴이 보이지 않는다고 해서 함부로 말하지 않습니다.
- 상대를 존중하고 예의를 지킵니다.
- 그림말이나 줄임 말은 상대가 모를 수도 있기 때문에 꼭 필요한 경우에만 적절하게 사용하고 되도록 사용하지 않는 것이 좋습니다.

94~95쪽 3주에는 무엇을 공부할까? ❷

1-1 (1) ×　　1-2 연 설
2-1 (1) ○　　2-2 공 약

1-1~1-2 회장 선거 연설문은 회장 선거에 나가 자신을 뽑아 달라고 연설하기 위한 글입니다. 연설을 위한 글이므로 연설문은 높임말로 써야 합니다.

2-1 공약은 학생들에게 도움이 되면서 실천할 수 있는 일을 써야 합니다.

2-2 회장이 되면 앞으로 어떠한 일을 하겠다고 학생들에게 하는 약속인 공약에 해당합니다.

97쪽 똑똑한 하루 글쓰기 미리 보기

❶ 연 설
❷ 소 개
❸ 높 임 말

98~99쪽 똑똑한 하루 글쓰기

1 (1) 제가 이 자리에 선 이유는 가려운 곳을 긁어 주는 효자손 같은 회장이 되고 싶어서입니다.
(2) 여러분의 불편한 곳을 모두 긁어 없애 편안하게 지낼 수 있는 반을 만들고 싶습니다.

2 ❶ 제가 이 자리에 선 이유는 가려운 곳을 긁어 주는 효자손 같은 회장이 되고 싶어서입니다.
❷ 여러분의 불편한 곳을 모두 긁어 없애 편안하게 지낼 수 있는 반을 만들고 싶습니다.

3 안녕하세요. 저는 기호 1번 김지원입니다. ❶ 예 제가 이 자리에 선 이유는 가려운 곳을 긁어 주는 효자손 같은 회장이 되고 싶어서입니다. ❷ 예 여러분의 불편한 곳을 모두 긁어 없애 편안하게 지낼 수 있는 반을 만들고 싶습니다.

1 지원이는 자신이 효자손 같은 회장이 되어 편안하게 지낼 수 있는 반을 만들겠다고 하였습니다.

2 1에서 쓴 내용을 두 문장으로 정리해 봅니다.

3 2에서 쓴 문장을 넣어 회장 선거 연설문의 처음 부분을 완성해 봅니다.

채점 기준

회장 선거 연설문의 처음 부분을 선거에 나온 마음가짐이 잘 드러나게 썼으면 정답입니다.

더 알아보기

연설을 할 때에 대상을 다른 것에 빗대어 표현하거나 속담, 관용어를 이용하면 말을 효과적으로 전할 수 있고 듣는 사람의 관심을 불러일으킬 수 있습니다.

100쪽 똑똑한 하루 글쓰기 고쳐쓰기

1 (1) 바 랐 다　(2) 바 랬 다

2 　네 가 ∨ 회 장 이 ∨ 되 면 ∨ 좋 겠 다 .

1 (1) '생각이나 바람대로 어떤 일이나 상태가 이루어지거나 그렇게 되었으면 하고 생각했다.'라는 뜻의 '바랐다'로 고쳐 써야 합니다.
(2) '볕이나 습기 때문에 색이 희미해지거나 누렇게 변했다.'라는 뜻인 '바랬다'로 고쳐 써야 합니다.

2 '너' 다음에 '-가'가 붙을 때에는 '네가'라고 써야 합니다.

101쪽 똑똑한 하루 글쓰기 마무리

예 안녕하세요. 저는 기호 1번 신정수라고 합니다. 제가 이 자리에 선 이유는 세세한 곳까지 모두 밝히는 등불과 같은 회장이 되고 싶어서입니다. 아무리 작은 문제라도 앞서서 해결하여 여러분이 계속 머물고 싶은 우리 반을 만들고 싶습니다.

● 학급 회장 선거 연설문의 처음 부분을 써 봅니다. 처음 부분에는 자신에 대한 소개와 선거에 나온 마음가짐이 들어갑니다.

채점 기준

구분	답안 내용	
평가 기준	자신의 이름과 회장 선거에 나온 마음가짐을 모두 알맞게 썼습니다.	상
	자신의 이름과 회장 선거에 나온 마음가짐을 모두 썼으나 맞춤법이나 띄어쓰기에 맞지 않는 부분이 있습니다.	중
	마음가짐만 간단하게 썼습니다.	하

더 알아보기

연설은 여러 사람들 앞에서 발표하는 공식적 말하기 상황이므로 높임말을 사용해야 합니다.

2일

103쪽 똑똑한 하루 글쓰기 미리 보기

104~105쪽 똑똑한 하루 글쓰기

1 (1) 반에 바라는 것을 말할 수 있는 [건][의] [함]을 만들겠습니다.
(2) 학급 [도][서]를 빌릴 수 있도록 하겠습니다.

2 ❶ 반에 바라는 것을 말할 수 있는 [건][의] [함][을] [만][들][겠][습][니][다].
❷ [학][급] [도][서][를] [빌][릴] 수 있도록 하겠습니다.

3 첫째, 반에 축구공과 피구 공을 갖추어 놓겠습니다.
둘째, ❶ 예 반에 바라는 것을 말할 수 있는 건의 함을 만들겠습니다.
셋째, ❷ 예 학급 도서를 빌릴 수 있도록 하겠습니다.

1 (1) 준서는 반에 건의 함을 만들겠다고 하였습니다.
(2) 준서는 학급 도서를 빌릴 수 있도록 하겠다고 하였습니다.

2 1에서 쓴 내용을 두 문장으로 정리해 봅니다.

3 2에서 쓴 문장을 넣어 준서의 학급 회장 선거 공약을 완성해 봅니다.

채점 기준

준서의 학급 회장 선거 공약을 맞춤법과 띄어쓰기에 알맞게 썼으면 정답입니다.

106쪽 똑똑한 하루 글쓰기 고쳐쓰기

1 선거 포스터는 아직 [미][완][성]이야.

2 | 내 | 일 | V | 일 | 찍 | V | 일 | 어 | 나 | 기 | 로 | V | 했 | 으 | 니 | 까 | V | 어 | 서 | V | 자 | 자 | . |

1 완성되지 않았다는 말은 '아직 덜 됨.'이라는 뜻의 '미완성'으로 바꿔 쓸 수 있습니다.

2 '했다.'와 '그러니까'를 '했으니까'로 합치면 두 문장을 하나의 문장으로 만들 수 있습니다.

107쪽 똑똑한 하루 글쓰기 마무리

재미있는 우리 반을 만들기 위해서 두 가지 공약을 준비했습니다.

첫째, ❶ 우리 반만의 동영상 게시판을 만들겠습니다. 게시판을 만들어 여러분이 자유롭게 동영상을 만들어 나눌 수 있도록 하겠습니다. 동영상을 통해 친구들과 소통하며 즐거운 학교생활을 보낼 수 있을 것입니다.

둘째, ❷ 영화를 보고 감상을 나누는 영화의 날을 만들겠습니다. 한 달에 한 번 선생님께 말씀드려 날을 정하겠습니다. 영화를 보고 감상을 나누며 친구들과 재미있는 시간을 보낼 수 있을 것입니다.

● 연설문의 내용에 어울리게 **보기** 에서 공약을 두 가지 골라 써 봅니다.

채점 기준

구분	답안 내용	
평가 기준	알맞은 공약을 두 가지 골라 써넣었습니다.	상
	알맞은 공약을 두 가지 골라 썼지만, 맞춤법이나 띄어쓰기에 틀린 부분이 있습니다.	중
	알맞은 공약을 한 가지만 골라 썼습니다.	하

3일

109쪽 똑똑한 하루 글쓰기 미리 보기

회장 선거 연설문을 쓸 때에는 공약에 대한 자 세 한 내용을 설명해요.

공약을 어떻게 이룰 것인지 구체적인 계 획 을 써요.

공약이 학생들과 학급에 어떠한 도움이 될 수 있는지 그 효 과 를 써요.

110~111쪽 똑똑한 하루 글쓰기

1 (1) 블록, 보드게임과 같은 장 난 감 을 여러분이 쓰지 않는 것을 모으든지 학급비를 사용하든지 해서 마련하겠습니다.
(2) 친구들과 신 나 는 점심시간을 보낼 수 있을 것입니다.

2 ❶ 블록, 보드게임과 같은 장 난 감 을 여러분이 쓰 지 않 는 것 을 모으든지 학급비를 사용하든지 해서 마련하겠습니다.
❷ 친 구 들 과 신 나 는 점 심 시 간 을 보낼 수 있을 것입니다.

3 교실에 여러 장난감을 갖추어 두겠습니다. ❶ 예 블록, 보드게임과 같은 장난감을 여러분이 쓰지 않는 것을 모으든지 학급비를 사용하든지 해서 마련하겠습니다. ❷ 예 친구들과 신나는 점심시간을 보낼 수 있을 것입니다.

1 (1) 사진에 블록, 보드게임과 같은 장난감이 있습니다.
(2) 장난감으로 놀면서 친구들과 신나는 점심시간을 보낼 수 있을 것이라 하였습니다.

2 1에서 쓴 내용을 두 문장으로 정리하여 봅니다.

3 2에서 쓴 문장을 넣어 공약에 대한 실천 계획과 효과를 써 봅니다.

채점 기준

공약에 대한 실천 계획과 효과를 맞춤법과 띄어쓰기에 알맞게 썼으면 정답입니다.

더 알아보기

공약 실천 계획과 효과는 학생들에게 후보자의 마음가짐과 공약 실천에 대한 믿음을 가지게 합니다.

112쪽 똑똑한 하루 글쓰기 고쳐쓰기

1 교실에 여러 장난감을 비 치 하겠습니다.

2

	점	심	시	간	에	V	함	께	V	블	록
을	V	가	지	고	V	놀	든	지	V	보	드
게	임	을	V	하	든	지	V	하	자	.	

1 '마련하여 갖추어 두겠습니다.'라는 뜻의 '비치하겠습니다'로 바꿔 쓰는 것이 알맞습니다.

2 '나열된 동작이나 상태, 대상들 중에서 어느 것이든 선택될 수 있음.'을 뜻하는 '-든지'로 고쳐 써야 합니다.

113쪽 똑똑한 하루 글쓰기 마무리

제가 회장이 된다면 먼저 마니토 활동을 하겠습니다. 마니토 활동은 제비뽑기로 짝을 정해 몰래 선물이나 편지를 주는 활동입니다. 짝을 정해서 ❶ 예 일주일 동안 활동을 하고 마지막 날에는 짝을 밝혀 생각이나 느낌을 나누는 시간을 가지겠습니다. 한 반이 된 지 얼마 되지 않아서 아직 친구들과 ❷ 예 서로 잘 모르는데 마니토 활동으로 친해질 수 있을 것입니다.

○ 만화를 읽고, 마니토 활동을 하겠다는 공약에 대한 실천 계획과 효과를 써 봅니다.

채점 기준

구분	답안 내용	
평가 기준	공약에 어울리는 공약 실천 계획과 효과를 모두 알맞게 썼습니다.	상
	공약에 어울리는 공약 실천 계획과 효과를 모두 썼으나 맞춤법이나 띄어쓰기에 맞지 않는 부분이 있습니다.	중
	공약에 어울리는 공약 실천 계획과 효과 중 한 가지만 썼습니다.	하

4일

115쪽 똑똑한 하루 글쓰기 미리 보기

❶ 각 오
❷ 부 탁
❸ 기 억

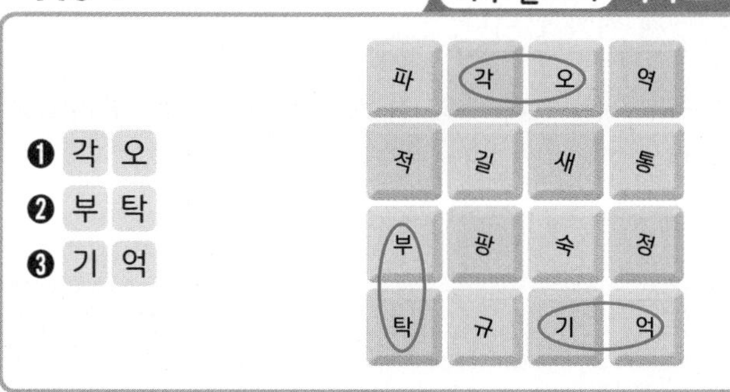

116~117쪽 똑똑한 하루 글쓰기

1 (1) 요술 램프의 지니처럼 학생들을 도와 행 복 이 가득한 반을 만들겠습니다.
(2) 이를 위해 고민을 나눌 수 있는 고민 게시판을 만들고, 비 오는 날 빌릴 수 있는 학급 우 산 을 마련하겠습니다.

2 고민은 가볍게 편안함은 가득하게, 제가 지니가 되어 뿡뿡 행 복 의 마 법 을 부 리 겠 습 니 다.

3 고민은 가볍게 편안함은 가득하게, 제가 지니가 되어 뿡뿡 행복의 마법을 부리겠습니다.

기호 3번 유민수를 기억해 주세요. 감사합니다.

1 (1) 민수는 행복이 가득한 학교를 만들겠다고 하였습니다.
(2) 민수는 비 오는 날 우산을 빌릴 수 있도록 하겠다는 공약을 내세웠습니다.

2 1의 내용에 어울리는 말을 찾아 써 봅니다.

3 2에서 완성한 문장을 넣어 학급 회장 선거 연설문의 끝부분을 완성해 봅니다.

채점 기준

학급 회장 선거 연설문의 끝부분을 맞춤법과 띄어쓰기에 맞게 썼으면 정답입니다.

118쪽 똑똑한 하루 글쓰기 고쳐쓰기

1 ㉠ 비 내리는 날 우산이 없어 염 려 하는 일을 학급 우산 마련으로 없애겠습니다.
㉠ 비 내리는 날 우산이 없어 근 심 하는 일을 학급 우산 마련으로 없애겠습니다.

2 친구들이 곤란하지 않도록 하겠습니다.

1 '안심이 되지 않아 속을 태움.'이라는 뜻의 '걱정'은 '염려'나 '근심'으로 바꿔 쓸 수 있습니다.

2 앞에 오는 말이 뒤에 오는 말에 대한 목적이나 결과, 방식, 정도임을 나타내는 '-도록'으로 고쳐 써야 합니다.

119쪽 똑똑한 하루 글쓰기 마무리

㉠ 서로 나누고, 서로 아끼고, 서로 사랑할 수 있는 우리 반을 만들겠습니다.

㉠ 추억 가득한 학급 문집, 칭찬을 나누는 쪽지함, 함께 쓰는 필기도구 모두를 드리겠습니다.

● 그림을 잘 보고, 보기 에서 한 가지 내용을 골라 학급 회장 선거 연설문의 끝부분을 써 봅니다.

채점 기준

구분	답안 내용	
평가 기준	보기 에서 한 가지 내용을 골라 학급 회장 선거 연설문의 끝부분을 알맞게 썼습니다.	상
	보기 에서 한 가지 내용을 골라 학급 회장 선거 연설문의 끝부분을 썼으나 맞춤법이나 띄어쓰기에 맞지 않는 부분이 있습니다.	중
	그림의 내용과 상관없는 학급 회장 선거 연설문의 끝부분을 썼습니다.	하

5일

121쪽 똑똑한 하루 글쓰기 미리 보기

 - 마 음 가 짐,

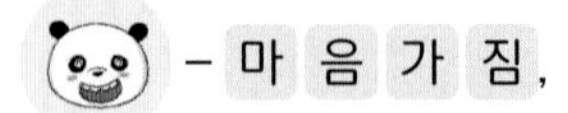

- 공 약, - 각 오

122~123쪽 똑똑한 하루 글쓰기

1 안녕하세요. 기호 5번 한주영입니다. 저는 여 행 처럼 즐거움을 주는 회장이 되어 모두가 재 미 있게 다닐 수 있는 학교를 만들고 싶습니다.

2 회장이 되면 한 달 에 한 번 퀴 즈 맞 히 기 를 하겠습니다.

3 예 가이드가 되어 여러분의 학교생활을 여행처럼 즐겁게 이끌겠습니다.

예 여러분께 즐거움이 가득한 여행을 선물하기 위해 열심히 뛰겠습니다.

1 주영이는 여행처럼 즐거움을 주는 회장이 되고 싶다고 하였습니다.

2 주영이는 한 달에 한 번 퀴즈 맞히기를 하겠다고 하였습니다.

3 연설문의 처음 부분과 공약에 어울리는 내용을 보기 에서 한 가지 골라 연설문의 끝부분을 써 봅니다.

채점 기준

보기 의 내용 중 한 가지를 골라 회장 선거 연설문의 끝부분을 알맞게 썼으면 정답입니다.

124쪽 똑똑한 하루 글쓰기 고쳐쓰기

1 (1) 당 선 되 었 다 (2) 당 첨 되 었 다

2 퀴 즈 를 ∨ 맞 힌 ∨ 친 구 들 에 게 는 ∨ 작 은 ∨ 간 식 을 ∨ 주 려 고 요 .

1 (1) '선거에서 뽑히게 되었다.'라는 뜻의 낱말인 '당선되었다'로 고쳐 써야 합니다.

(2) '추첨에서 뽑혔다.'라는 뜻인 '당첨되었다'로 고쳐 써야 합니다.

2 '-려구'는 '-려고'의 잘못된 표현이므로 '주려고요'로 고쳐 써야 합니다.

125쪽 똑똑한 하루 글쓰기 마무리

예

처음 부분	안녕하세요. 기호 1번 한지아입니다. 어디서나 열심히 하는 회장이 되어 더 좋은 반을 만들고 싶습니다.
공약	제가 회장이 되면 여러분께 우리 반 소식을 매일 알려 드리겠습니다.
공약 실천 계획과 효과	제가 문자 메시지로 매일 저녁마다 여러분 모두에게 챙겨야 할 숙제, 준비물과 같은 소식을 알려 드릴 것입니다. 여러분께서 무언가를 빠뜨려 곤란한 일 없이 즐겁게 수업할 수 있도록 도와드리겠습니다.
끝부분	우리 반 소식을 알려 여러분의 불편함을 없앰으로써 더 좋은 우리 반을 만들겠습니다. 기호 1번 한지아를 뽑아 주세요. 감사합니다.

○ 학급 회장 선거 연설문의 처음 부분, 공약, 공약 실천 계획과 효과, 끝부분을 쓰는 방법을 생각하며 회장 선거 연설문을 한 편 완성해 봅니다.

채점 기준

구분	답안 내용	
평가 기준	처음 부분, 공약, 공약 실천 계획과 효과, 끝부분을 모두 써넣어 학급 회장 선거 연설문을 알맞게 완성했습니다.	상
	들어가는 내용을 모두 넣어 학급 회장 선거 연설문을 완성했지만 띄어쓰기나 맞춤법에 틀린 부분이 있습니다.	중
	들어가는 내용 중 한두 가지를 빠뜨리고 학급 회장 선거 연설문을 썼습니다.	하

특강

똑똑한 하루 창의·융합·코딩

127쪽

"겨울이 지나지 않고 봄이 오랴" 라고 했으니 지금 힘들어도 열심히 공부하면 시험에서 좋은 점수를 받을 수 있을 거야.

128쪽

● '일정한 조직이나 집단이 대표자나 임원을 뽑는 일.'이라는 뜻의 낱말은 '선거'이고, '어떤 문제에 대하여 의견이나 바라는 사항을 제시함. 또는 그 의견이나 바라는 사항.'이라는 뜻의 낱말은 '건의'입니다. '사정이 몹시 딱하고 어려움. 또는 그런 일.'이라는 뜻의 낱말은 '곤란'입니다.

왜 틀렸을까?
- **회의**: 여럿이 모여 의논함. 또는 그런 모임.
- **건성**: 어떤 일을 성의 없이 대충 겉으로만 함.
- **소란**: 시끄럽고 어수선함.

129쪽

❶ × ❸ ×

● 투표를 할 때에는 다른 사람이 아닌 자신이 직접 투표를 해야 하고, 일정한 나이가 되면 외모나 성별 등의 이유와 관계없이 투표를 할 수 있어야 해요.

130쪽

● 공약을 쓰는 방법을 생각해 보며 공약을 지키기 전과 후에 무엇이 달라졌는지 찾아봅니다.

131쪽

첫째, 학급 문고의 (책, 휴일)을 늘려 다양한 책을 읽을 수 있도록 하겠습니다.
둘째, 교실에 (편지함, 축구공)을 마련하도록 하겠습니다.

● 코딩 명령에 따라 이동하면 책이 더 필요하다고 이야기하는 친구와 편지함이 있으면 좋겠다고 이야기하는 친구를 만나게 됩니다.

평가 누구나 100점 테스트

132~133쪽

1 경준 **2** 도 움

3 바랐다

4

	교	실	에	∨	여	러	∨
장	난	감	을	∨	갖	추	어 ∨
두	겠	습	니	다	.		

5 (2) ○ **6** (2) ○ **7** 주아

8 여러분, 고 민 을 말할 곳이 필요하신가요? 우 산 은 어떠세요? 모두 필요하시다면 저 기호 3번 유민수를 뽑아 주시길 바랍니다. 감 사 합니다.

9 (1) ○

10 여 행 처럼 즐거움을 줄 회장, 저 기호 5번 한주영을 기억해 주세요. 감사합니다.

1 학급 회장 선거 연설문은 회장 선거에 나가 자신을 뽑아 달라고 연설하기 위한 글입니다.

왜 틀렸을까?
회장 선거 연설문의 처음 부분에는 자신에 대한 소개와 선거에 나온 마음가짐이 들어갑니다.

2 신데렐라 속 요술 할머니처럼 여러분께 도움을 드릴 수 있는 회장이 되고 싶다고 하였습니다.

더 알아보기
회장 선거 연설문의 처음 부분을 쓸 때에는 자신의 장점이나 특기를 소개하여 어떠한 회장이 되겠다고 이야기할 수 있습니다.

3 '생각이나 바람대로 어떤 일이나 상태가 이루어지거나 그렇게 되었으면 하고 생각했다.'라는 뜻의 '바랐다'가 문장에 어울립니다.

4 장난감 사진이 있으므로 '교실에 여러 장난감을 갖추어 두겠습니다.'라는 내용의 공약이 알맞습니다.

5 '동영상을 통해 친구들과 소통하며 즐거운 학교생활을 보낼 수 있을 것입니다.'라고 하였으므로 우리 반만의 동영상 게시판을 만들겠다는 공약이 와야 알맞습니다.

6 마니토 활동을 통해 선물이나 편지를 주고받으면 친구들과 친해질 수 있을 것입니다.

7 고민 게시판을 만들겠다는 공약을 내세우고 있으므로 문자 메시지에 대한 진수의 말은 알맞지 않습니다.

8 고민 게시판을 만들고, 우산을 빌릴 수 있도록 하겠다는 공약을 내세우고 있으므로 빈칸에는 '고민'과 '우산'이 들어갑니다. 연설문의 마지막에는 연설을 들어 준 친구들에게 감사를 표현합니다.

9 주영이는 선거에 나온 마음가짐은 어떠한지 이야기하고 있으므로 처음 부분에 해당합니다.

10 주영이는 여행처럼 즐거움을 주는 회장이 되고 싶다고 하였습니다.

더 알아보기
연설문의 끝부분에서는 처음 부분과 공약 같은 앞의 내용을 강조하여 말할 수 있습니다. 흉내 내는 말이나 춤과 같이 말이나 행동을 이용해 재미있게 구성하면 좋습니다.

136~137쪽 4주에는 무엇을 공부할까? ❷

1-1 (1) ×
1-2 소 개 하는 편지 쓰기
2-1 달래, 기찬
2-2 축 하

1-1 (1)은 독서 감상문에 대한 설명입니다.

1-2 친구의 생각을 통해 친구가 자신의 학교에 대해 소개하는 편지를 쓸 것임을 알 수 있습니다.

2-1 축하하는 편지는 입학, 졸업, 생일 등 기쁜 일을 축하할 때 씁니다.

2-2 생일을 축하하는 편지를 써서 주었을 것입니다.

1일

139쪽 똑똑한 하루 글쓰기 미리 보기

– 상 황, – 특 별 한,

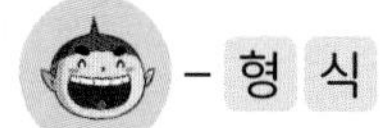
– 형 식

140~141쪽 똑똑한 하루 글쓰기

1 (1) 기쁜 소 식을 전해 드리고 싶어서 편지를 써요.
(2) 오늘 글쓰기 대회에서 상을 받았어요.

2 ❶ 기 쁜 소 식 을 전 해 드 리 고 싶어서 편지를 써요.
❷ 오늘 글 쓰 기 대 회 에 서 상 을 받았어요.

3

	❶기	쁜	∨	소	식	을	∨	전	해	∨	드
리	고	∨	싶	어	서	∨	편	지	를	∨	써
요	.	❷오	늘	∨	글	쓰	기	∨	대	회	에
서	∨	상	을	∨	받	았	어	요	.		

1 밤톨이는 글쓰기 대회에서 상을 받은 기쁜 소식을 전해 드리고 싶어서 편지를 쓴다고 하였습니다.

2 **1**에서 쓴 밤톨이가 전하고 싶은 말을 두 문장으로 정리해서 씁니다.

3 **2**에서 쓴 문장을 넣어 소식을 전하는 편지를 완성해 봅니다.

채점 기준

밤톨이에게 일어난 특별한 일을 알맞게 잘 썼으면 정답입니다.

142쪽 똑똑한 하루 글쓰기 고쳐쓰기

1 글쓰기 공부를 열심히 하더니 마 침 내 빛을 보는구나.

2

	동	생	은	∨	일	기	를	∨	쓰	지	∨
않	고	∨	잠	을	∨	잤	다	.			

1 '드디어'는 '몹시 기다리던 것이 끝내. 결국에 가서.'라는 뜻으로 '마침내'와 바꿔 쓸 수 있습니다.

2 '–지'와 함께 쓰여서 부정의 뜻을 나타낼 때에는 '않'을 써야 하므로 '쓰지 안고'를 '쓰지 않고'로 고쳐 써야 합니다.

143쪽 똑똑한 하루 글쓰기 마무리

보고 싶은 밤톨이에게

밤톨아, 편지를 통해 잘 지내고 있는 네 소식을 듣고 엄마와 아빠는 너무 기뻤단다. 엄마와 아빠, 동생도 건강하게 잘 지내고 있단다.

지구별에서 글쓰기 공부를 열심히 해서 ❶ 예 상을 받은 네가 너무 자랑스럽다.

이곳은 지금 곳곳에서 열리는 밤 축제로 즐거운 나날을 보내고 있단다. 우리도 어제 ❷ 예 밤 축제에 참가하여 즐거운 시간을 보냈단다. 그리고 네 동생은 이번에 키가 3센티미터나 자랐어. ❸ 예 다음에 만나면 오빠와 키 재기를 하겠다고 하는구나.

그럼 지구별에서 친구들과 잘 지내고 종종 편지로 안부를 전해 주렴. 안녕!

20○○년 9월 5일 / 바밤별에서 엄마와 아빠가

● 부모님께서 밤톨이에게 전하고 싶은 말을 넣어서 소식을 전하는 편지를 완성해 봅니다.

채점 기준

구분	답안 내용	
평가 기준	❶, ❷, ❸에 들어갈 내용을 모두 넣어 알맞게 썼습니다.	상
	❶, ❷, ❸에 들어갈 내용을 모두 썼으나 띄어쓰기나 맞춤법이 틀린 부분이 있습니다.	중
	❶, ❷, ❸ 중 한두 가지만 알맞게 썼습니다.	하

2일

145쪽
똑똑한 하루 글쓰기 미리 보기

❶ 부 탁
❷ 까 닭
❸ 예 의

146~147쪽
똑똑한 하루 글쓰기

1 (1) 일주일에 한 번 우리 지역에서 나는 특산물로 만든 급식을 먹을 수 있게 해 주세요.
(2) 우리 농가에 도움을 줄 수 있고, 우리는 신선한 재료로 만든 음식을 먹을 수 있어서 좋아요.

2 ❶ 일주일에 한 번 우리 지역에서 나는 특산물로 만든 급식을 먹을 수 있게 해 주세요.
❷ 우리 농가에 도움을 줄 수 있고, 우리는 신선한 재료로 만든 음식을 먹을 수 있어서 좋아요.

3 교장 선생님께
교장 선생님, 안녕하세요? 저는 4학년 2반 김희수라고 해요. 교장 선생님께 부탁을 드리고 싶은 것이 있어서 편지를 써요. / ❶ 예 일주일에 한 번 우리 지역에서 나는 특산물로 만든 급식을 먹을 수 있게 해 주세요.
❷ 예 우리 농가에 도움을 줄 수 있고, 우리는 신선한 재료로 만든 음식을 먹을 수 있어서 좋아요.
그럼 안녕히 계세요.
20○○년 5월 25일 / 김희수 올림

1 희수는 우리 지역 특산물로 만든 급식을 먹으면 우리 농가에 도움을 주고, 신선한 재료로 만든 음식을 먹을 수 있다고 하였습니다.

2 1에서 쓴 문장을 두 문장으로 정리해서 씁니다.

3 2에서 쓴 문장을 넣어 부탁하는 편지를 완성해 봅니다.

채점 기준
교장 선생님께 부탁하는 편지를 알맞게 썼으면 정답입니다.

148쪽
똑똑한 하루 글쓰기 고쳐쓰기

1 예 열심히 농작물을 가꾼 농부 아저씨께서 많이 속상하시겠다.
예 열심히 농작물을 보살핀 농부 아저씨께서 많이 속상하시겠다.
예 열심히 농작물을 기른 농부 아저씨께서 많이 속상하시겠다.

2 생각한∨대로∨솔직하게∨교장∨선생님께∨부탁하는∨편지를∨써야겠어.

1 '동식물을 돌보아 기른.'이라는 뜻의 '키운'은 '가꾼', '보살핀', '기른'과 바꾸어 써도 문장의 뜻이 변하지 않습니다.

2 '대로'는 '-ㄴ/-ㄹ'로 끝나는 말 뒤에서는 띄어 써야 하므로 '생각한∨대로'와 같이 띄어 써야 합니다.

149쪽
똑똑한 하루 글쓰기 마무리

교통경찰님께
안녕하세요? 저는 천재초등학교 4학년 3반 김지수라고 해요. 교통경찰님께 부탁을 드리고 싶은 것이 있어요.
길을 안전하게 건널 수 있도록 ❶ 예 하교 시간에도 교통 정리를 해 주세요.
학교 앞 도로는 오토바이와 자동차들이 쌩쌩 달려서 ❷ 예 어린 동생들이 길을 건너기에 너무 위험해요.
안전을 위해 제 부탁을 꼭 들어주세요.
그럼 안녕히 계세요. / 20○○년 6월 2일 / 김지수 올림

○ 교통경찰님께 부탁하는 편지에 들어갈 내용을 완성해 봅니다.

채점 기준

구분	답안 내용	
평가 기준	❶과 ❷에 들어갈 내용을 모두 넣어 알맞게 썼습니다.	상
	❶과 ❷에 내용을 모두 넣어 썼지만 맞춤법이나 띄어쓰기에서 틀린 부분이 있습니다.	중
	❶과 ❷ 중 한 가지만 알맞게 썼습니다.	하

151쪽

똑똑한 하루 글쓰기 미리 보기

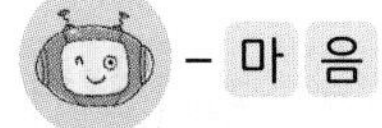

152~153쪽

똑똑한 하루 글쓰기

1 (1) 초등학교 졸업을 정말 축하해.
(2) 6년 동안 열심히 학교를 다닌 언니가 자랑스럽고 중학교에 가서도 잘 적응하며 지냈으면 좋겠어.

2 ❶ 초등학교 졸업을 정말 축하해.
❷ 6년 동안 열심히 학교를 다닌 언니가 자랑스럽고 중학교에 가서도 잘 적응하며 지냈으면 좋겠어.

3 언니에게
언니, 안녕? 나 선영이야.
❶ 예 초등학교 졸업을 정말 축하해.
❷ 예 6년 동안 열심히 학교를 다닌 언니가 자랑스럽고 중학교에 가서도 잘 적응하며 지냈으면 좋겠어.
그럼 우리 앞으로도 사이좋은 자매로 잘 지내자. 안녕.
20○○년 2월 16일 / 언니를 사랑하는 동생 선영이가

1 선영이는 언니의 초등학교 졸업을 축하해 주고 싶어 하고, 언니가 중학교에 가서도 잘 적응하며 지냈으면 좋겠다고 생각하고 있습니다.

2 1에서 쓴 내용을 두 문장으로 정리해서 씁니다.

3 2에서 쓴 문장을 넣어 축하하는 편지를 완성해 봅니다.

채점 기준

언니에게 축하하는 편지를 알맞게 썼으면 정답입니다.

154쪽

똑똑한 하루 글쓰기 고쳐쓰기

1 나는 며칠 전부터 액세서리 상점에 가서 언니에게 줄 선물을 고르느라 골머리를 썩였다.

2 언니의 ∨ 졸업식을 ∨ 마치고 ∨ 우리 ∨ 가족은 ∨ 운동장에서 ∨ 기념사진을 ∨ 찍었다.

1 '가게'는 '상점'과 바꾸어 써도 문장의 뜻이 변하지 않습니다.

왜 틀렸을까?
- **식당**: 음식을 만들어 파는 가게.
- **극장**: 연극이나 음악, 무용 따위를 공연하거나 영화를 상영하기 위하여 무대와 객석 등을 설치한 건물이나 시설.

2 '맞히고'는 '마치고'로, '찌겄다'는 '찍었다'로 고쳐 써야 합니다.

155쪽

똑똑한 하루 글쓰기 마무리

예 할머니의 일흔 번째 생신을 정말 축하드려요.

예 사랑하는 할머니, 생신을 진심으로 축하드려요.

예 할머니, 생신을 축하드려요. 항상 건강하시길 바랄게요.

○ 할머니의 생신을 축하하는 마음이 잘 드러난 문장을 넣어 편지를 완성해 봅니다.

채점 기준

구분	답안 내용	
평가 기준	보기 중 한 가지를 골라 맞춤법과 띄어쓰기에 맞게 잘 썼습니다.	상
	보기 중 한 가지를 골라 썼지만 맞춤법과 띄어쓰기에서 틀린 부분이 있습니다.	중
	할머니의 생신을 축하하는 내용과 관련이 없는 내용을 썼습니다.	하

4일

157쪽 똑똑한 하루 글쓰기 미리 보기

158~159쪽 똑똑한 하루 글쓰기

1 (1) 보내 주신 [사][과]는 맛있게 잘 먹었어요.
(2) 힘들게 [농][사]지으신 사과를 보내 주셔서 정말 감사해요.

2 ❶ 보내 주신 [사][과][는] [맛][있][게] [잘] [먹][었][어][요].
❷ 힘들게 [농][사][지][으][신] 사과를 보내 주셔서 [정][말] [감][사][해][요].

3 할아버지께
할아버지, 안녕하세요? 건강하게 잘 지내시죠?
❶ 예 보내 주신 사과는 맛있게 잘 먹었어요.
❷ 예 힘들게 농사지으신 사과를 보내 주셔서 정말 감사해요.
할아버지, 항상 건강하시길 바라요. 그리고 사랑해요.
20○○년 11월 13일 / 손자 수혁 올림

1 (1) 수혁이는 엄마와 사과를 맛있게 먹고 있습니다.
(2) 수혁이는 힘들게 농사지으신 사과를 보내 주신 할아버지께 감사한 마음이 들었을 것입니다.

2 1에서 쓴 내용을 두 문장으로 정리해서 씁니다.

3 2에서 쓴 문장을 넣어 편지를 완성해 봅니다.

채점 기준

할아버지께 감사함을 전하는 편지를 알맞게 썼으면 정답입니다.

(더 알아보기)

감사함을 전하는 편지를 쓸 때에는 '~해 주셔서 감사합니다.', '~ 고맙습니다.' 등의 감사한 마음을 드러내는 표현을 사용해서 써야 합니다.

160쪽 똑똑한 하루 글쓰기 고쳐쓰기

1 (1) [붙][이][다] (2) [부][치][다]

2
	맛	있	는	V	사	과	를	V	보	내	V
주	신	V	할	아	버	지	께	V	편	지	를 V
써	서	V	드	려	야	겠	어	요	.		

1 '우표를 부치다'를 '우표를 붙이다'로, '편지를 써서 붙이다'를 '편지를 써서 부치다'로 고쳐 써야 합니다.

2 밑줄 그은 말을 알맞은 높임말로 고쳐 써 봅니다.

161쪽 똑똑한 하루 글쓰기 마무리

예 부모님께
엄마, 아빠, 안녕하세요? 서윤이예요.
저를 낳아 주시고 길러 주셔서 정말 감사해요. 그리고 항상 맛있는 음식을 만들어 주셔서 제가 이렇게 건강하게 자라게 되었어요. / 앞으로 엄마, 아빠의 말씀도 잘 듣고 공부도 열심히 할게요. 안녕히 계세요.
20○○년 ○○월 ○○일 / 김서윤 올림

예 선생님께
선생님, 안녕하세요? 저는 지수예요.
학교에서 항상 친절하게 대해 주시고, 공부를 가르쳐 주셔서 정말 감사해요. / 선생님의 가르침대로 착하고 바른 어린이가 될게요. 그럼 안녕히 계세요.
20○○년 ○○월 ○○일 / 김지수 올림

○ 웃어른께 감사함을 전하는 편지를 써 봅니다.

채점 기준

구분	답안 내용	
평가 기준	한 가지 상황을 골라 부모님이나 선생님께 감사함을 전하는 편지를 잘 썼습니다.	상
	웃어른께 감사함을 전하는 편지를 썼지만 맞춤법과 띄어쓰기에서 틀린 부분이 있습니다.	중
	웃어른께 다른 주제로 편지를 썼습니다.	하

5일

163쪽 똑똑한 하루 글쓰기 미리 보기

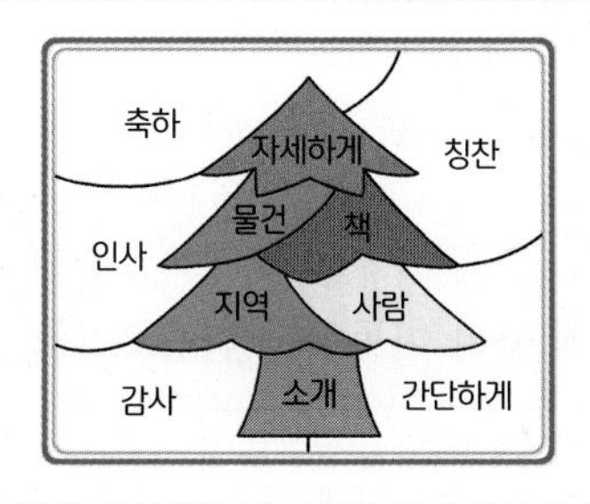

164~165쪽 똑똑한 하루 글쓰기

1 (1) 김치는 소금에 절인 배추나 무 등을 고춧가루, 파, 마늘 등의 양념에 버무린 뒤 [발][효]를 시킨 음식이야.
(2) 김치는 재료와 조리 방법에 따라 많은 [종][류]가 있어.

2 ❶ 김치는 소금에 절인 배추나 무 등을 고춧가루, 파, 마늘 등의 [양][념][에] [버][무][린] [뒤] [발][효][를] 시킨 음식이야.
❷ 김치는 재료와 조리 방법에 따라 [많][은] [종][류][가] [있][어].

3 서윤아, 안녕? 우리 가족들도 모두 잘 지내고 있어.
너는 어릴 때 이민을 가서 김치에 대해 잘 모를 수도 있겠다. / ❶ 예 김치는 소금에 절인 배추나 무 등을 고춧가루, 파, 마늘 등의 양념에 버무린 뒤 발효를 시킨 음식이야. 대표적인 발효 식품인 김치는 우리의 건강에도 아주 좋아. / ❷ 예 김치는 재료와 조리 방법에 따라 많은 종류가 있어. 배추김치, 열무김치, 깍두기, 동치미, 갓김치, 오이소박이 등 아주 다양하고 맛도 다 달라. / 네 친구들이 한국에 대해 관심이 많은 것 같은데 다음에는 한국을 대표하는 것 중에서 다른 것에 대해서 알려 줄게. 안녕.

1 김치는 소금에 절인 배추나 무 등을 고춧가루, 파, 마늘 등의 양념에 버무린 뒤 발효를 시킨 음식으로 많은 종류가 있습니다.

2 **1**에서 쓴 내용을 두 문장으로 정리해서 씁니다.

3 **2**에서 쓴 문장을 넣어 소개하는 편지를 완성해 봅니다.

채점 기준

김치에 대해 소개하는 편지를 알맞게 썼으면 정답입니다.

166쪽 똑똑한 하루 글쓰기 고쳐쓰기

1 며칠 전에 이사를 해서 집 주소가 [바뀌었는데] 알려 줄게.

2

	여	기	V	캐	나	다	는	V	지	금	V
낮	인	데	V	한	국	은	V	새	벽	일	까	?

1 '바뀌었는데'를 '바꼈는데'로 줄여서 쓸 수 없으므로 '바뀌었는데'로 고쳐 써야 합니다.

더 알아보기

'사귀었던', '뛰었다', '쉬었다가', '할퀴었다'를 줄여서 '사겼던', '뗬다', '셨다가', '할켰다'처럼 쓰는 경우가 있는데 이 낱말들은 줄여서 쓸 수 없는 말입니다.

2 '새벽일가?'를 '새벽일까?'로 고쳐 써야 합니다.

167쪽 똑똑한 하루 글쓰기 마무리

예 ○○○에게
안녕? 나는 ○○○야. 우리 아파트로 이사 온 것을 환영해.
우리 동네는 조용하고 참 살기 좋은 곳이야. 우리 동네에 대해 소개해 줄게. 먼저 아파트 입구에서 가장 가까운 가게가 빵집이야. 여기는 밤식빵이 정말 맛있어. 그리고 그 옆에는 친절한 아저씨가 운영하시는 문방구가 있어. 문방구 바로 옆 분식집은 떡볶이가 기가 막히게 맛있어. 나중에 같이 먹자. 문방구와 분식집 건너편에는 네가 다니게 될 ○○초등학교가 있어. 운동장이 넓어서 쉬는 시간에 축구하기가 좋아. 학교 교문에서 조금 돌아 길을 건너면 자전거를 타기에 좋은 천재 공원이 있어. 이곳은 나무도 많고 쉴 수 있는 곳이 많아서 동네 사람들이 많이 찾는 곳이야. 나중에 같이 가 보자. / 그럼 안녕. / ○○월 ○○일 / ○○○가

● 약도를 보고 동네를 소개하는 편지를 써 봅니다.

채점 기준

구분	답안 내용	
평가 기준	약도를 보고 동네를 소개하는 편지를 알맞게 썼습니다.	상
	동네를 소개하는 편지를 알맞게 썼으나 맞춤법이나 띄어쓰기가 틀린 부분이 있습니다.	중
	약도와 다르게 소개하는 편지를 썼습니다.	하

특강 똑똑한 하루 창의·융합·코딩

169쪽

"무 쇠 도 갈 면 바 늘 된 다"더니 꾸준히 노력해서 타자 실력이 좋아졌다.

170쪽

● '몹시 기다리던 것이 끝내. 결국에 가서.'라는 뜻의 낱말은 '드디어', '어떤 지역에서 특별히 생산되는 물건.'이라는 뜻의 낱말은 '특산물', '어떤 일에 대처할 계획이나 수단.'이라는 뜻의 낱말은 '대책', '학교에서 일정한 교과 과정을 모두 마친 것을 기념하는 의식.'이라는 뜻의 낱말은 '졸업식', '연하고 싱싱한 과일이나 채소 따위를 보드랍게 베어 물 때 자꾸 나는 소리.'라는 뜻의 낱말은 '아삭아삭'입니다.

왜 틀렸을까?

- **농가**: 농사를 본업으로 하는 사람의 집. 또는 그런 가정.
- **대표**: 전체의 상태나 성질을 어느 하나로 잘 나타냄. 또는 그런 것.

171쪽

승호는 교장 선생님께 방학 기간에 도서관 이 용 시 간을 늘려 달라고 부탁하고 있다.

● 편지에서 그림이 나타내는 글자를 찾아 쓰고, 편지에서 전하고 싶은 말을 알아봅니다.

172쪽

(1) ○

● 코딩 명령에 따라 이동하면 다음과 같습니다.

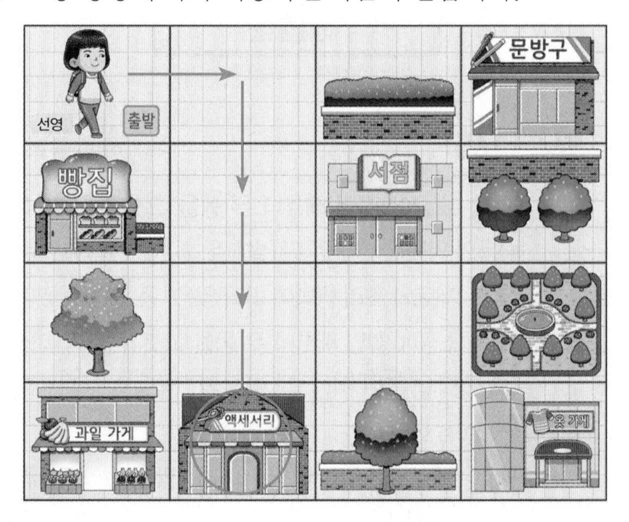

173쪽

서윤이에게

안녕? 오늘은 무궁화에 대해 알려 줄게.

우리나라의 국 화인 무궁화는 '영원히 피고 또 피어서 지지 않는 꽃'이라는 뜻을 지니고 있대. 무궁화는 여 름부터 가을까지 피는 꽃으로, 꽃 잎은 흰색, 보라색, 붉은색 등 다양해.

● 친구들의 대화를 보고, 무궁화를 소개하는 편지를 완성해 봅니다.

평가 누구나 100점 테스트

174~175쪽

1 판판　　2 (2) ○

3

	네	가	V	원	하	는	V
대	로	V	해	V	줄	게	.

4 ④　　5 (1) ② (2) ①

6 ②　　7 졸업

8 감사한　　9 유정

10 발효 식품

1 편지는 소식을 전할 때, 부탁할 때, 축하할 때, 감사함을 전할 때, 소개할 때 등 다양한 상황에서 쓸 수 있습니다.

더 알아보기

편지는 '받을 사람, 첫인사, 전하고 싶은 말, 끝인사, 쓴 날짜, 쓴 사람'의 형식에 맞게 써야 합니다.

2 밤톨이는 엄마, 아빠께 글쓰기 대회에서 상을 받은 특별한 일을 전하고 있습니다.

왜 틀렸을까?

(1) 그림 그리는 실력이 좋아진 일을 나타내는 내용은 편지에 나와 있지 않습니다.

3 '대로'는 '-ㄴ/-ㄹ'로 끝나는 말 뒤에서는 띄어 씁니다.

더 알아보기

'대로'는 사람이나 사물의 이름을 나타내는 낱말 뒤에서는 붙여 씁니다.

㉠ • 짝꿍은 학교에서 정한 규칙대로 벌점을 받았다.
• 언니는 언니대로 불만이 많았다.

4 희수는 교장 선생님께 부탁을 드리고 싶은 것이 있어서 편지를 썼습니다.

5 ㉠은 일주일에 한 번 우리 지역에서 나는 특산물로 만든 급식을 먹을 수 있게 해 달라는 부탁하는 말에 해당하고, ㉡은 부탁하는 말에 대한 부탁하는 까닭에 해당합니다.

6 '가게'와 '상점'은 뜻이 비슷한 낱말로, 서로 바꾸어 써도 문장의 뜻이 달라지지 않습니다.

왜 틀렸을까?

③ **학원**: 학생을 모집하여 지식, 기술, 예체능 등을 가르치는 사립 교육 기관.

⑤ **공원**: 사람들이 놀고 쉴 수 있도록 풀밭, 나무, 꽃 등을 가꾸어 놓은 넓은 장소.

7 선영이가 언니의 초등학교 졸업을 축하하는 편지를 쓴 것입니다.

8 할아버지께 사과를 보내 주셔서 감사하다는 내용을 넣어 쓴 편지입니다.

9 한국을 대표하는 것 중 김치에 대해 소개하는 편지를 쓴 것입니다.

10 김치는 대표적인 발효 식품이라고 하였습니다.

편지 쓰기

기억에 남는 일을 일기로 남겨 봐요.

즐겁고 행복했던 일

날짜:

날씨:

제목:

슬프고 속상했던 일

날짜:

날씨:

제목:

힘이 되는
좋은 말

친절한 말은 아주 짧기 때문에
말하기가 쉽다.

하지만 그 말의 메아리는 무궁무진하게
울려 퍼지는 법이다.

Kind words can be short and easy to speak,
but their echoes are truly endless.

테레사 수녀

친절한 말, 따뜻한 말 한마디는 누군가에게 커다란 힘이 될 수도 있어요.
나쁜 말 대신 좋은 말을 하게 되면 언젠가 나에게 보답으로 돌아온답니다.
앞으로 나쁘고 거친 말 대신 좋고 예쁜 말만 쓰기로 우리 약속해요!

정답은
이안에
있어!

기초 학습능력 강화 프로그램

매일 조금씩 공부력 UP!

하루 독해 | 하루 어휘 | 하루 글쓰기 | 하루 VOCA

하루 수학 | 하루 계산 | 하루 도형 | 하루 사고력

과목	교재 구성	과목	교재 구성
하루 수학	1~6학년 1·2학기 12권	하루 사고력	1~6학년 A·B단계 12권
하루 VOCA	3~6학년 A·B단계 8권	하루 글쓰기	예비초~6학년 A·B단계 12권
하루 사회	3~6학년 1·2학기 8권	하루 한자	1~6학년 A·B단계 12권
하루 과학	3~6학년 1·2학기 8권	하루 어휘	예비초~6학년 1~6단계 6권
하루 도형	1~6단계 6권	하루 독해	예비초~6학년 A·B단계 12권
하루 계산	1~6학년 A·B단계 12권		

※ 각 교재별 출간 시기는 조금씩 다릅니다.

배움으로 행복한 내일을 꿈꾸는

천재교육 커뮤니티 안내

교재 안내부터 구매까지 한 번에!

천재교육 홈페이지

천재교육 홈페이지에서는 자사가 발행하는 참고서,
교과서에 대한 소개는 물론 도서 구매도 할 수 있습니다.
회원에게 지급되는 별을 모아 다양한 상품 응모에도
도전해 보세요.

구독, 좋아요는 필수! 핵유용 정보 가득한

천재교육 유튜브 <천재TV>

신간에 대한 자세한 정보가 궁금하세요?
참고서를 어떻게 활용해야 할지 고민인가요?
공부 외 다양한 고민을 해결해 줄 채널이 필요한가요?
학생들에게 꼭 필요한 콘텐츠로 가득한 천재TV로 놀러 오세요!

다양한 교육 꿀팁에 깜짝 이벤트는 덤!

천재교육 인스타그램

천재교육의 새롭고 중요한 소식을 가장 먼저 접하고 싶다면?
천재교육 인스타그램 팔로우가 필수!
누구보다 빠르고 재미있게 천재교육의 소식을 전달합니다.
깜짝 이벤트도 수시로 진행되니 놓치지 마세요!